Le
Colpron

Constance Forest
Louis Forest

Le Colpron

Le nouveau dictionnaire des anglicismes

Éditions Beauchemin ltée

3281, avenue Jean-Béraud
Chomedey, Laval (Québec) H7T 2L2
Téléphone : (514) 334-5912 Téléphone : 1-800-361-4504
Téléc.. : (514) 688-6269

Le Colpron
Le nouveau dictionnaire des anglicismes
Gilles Colpron
mise à jour de Constance Forest et de Louis Forest

© 1994
Éditions Beauchemin ltée
3281, avenue Jean-Béraud
Chomedey, Laval
H7T 2L2
Téléphone : (514) 334-5912
Télécopieur : (514) 688-6269
Téléphone : 1-800-361-4504

ISBN : 2-7616-0528-4

Dépôt légal 2e trimestre 1994
Bibliothèque nationale du Québec
Bibliothèque nationale du Canada

Imprimé au Canada
1 2 3 4 5 98 97 96 95 94

Supervision éditoriale : Isabelle Quentin
Direction de la production : Robert Gaboury
Recherche, mise à jour, révision linguistique et correction d'épreuves : Constance Forest
    et Louis Forest
Maquette de la couverture : Derome Design
Conception graphique et mise en pages : Typolitho
Impression : Imprimerie Gagné

L'éditeur tient à remercier Madame Solange Martel-Forest pour sa généreuse participation.

Notice biographique

Gilles Colpron est l'auteur du livre *Les anglicismes au Québec —
répertoire classifié*. D'abord paru en 1970 chez Beauchemin, puis réédité en
1982 sous le nom du *Dictionnaire des anglicismes*, cet ouvrage est le résultat
de plusieurs années de pratique et de recherche. Linguiste, tour à tour traduc-
teur, réviseur, rédacteur et professeur, Gilles Colpron est devenu LA référence
en matière d'anglicismes depuis déjà quelques générations. Il a fait une
maîtrise et la scolarité de doctorat en linguistique à l'Université de Montréal.

Augmenté, mis à jour, refondu, ce nouveau *Colpron* se veut respectueux
de l'immense travail de l'auteur et vise à y conserver la jeunesse et la perti-
nence.

Constance Forest est diplômée de l'Université de Montréal en traduction de la langue anglaise. Elle a également une formation en documentation et
une pratique prolongée, notamment en recherche documentaire, dans le milieu
des bibliothèques universitaires.

Louis Forest a reçu une formation universitaire en langues romanes à
Fordham University et en lettres françaises à l'Université de Montréal, a été
professeur de littérature française au Collège militaire royal de Saint-Jean, puis
administrateur (enseignement des adultes) aux HEC.

Dans le domaine de l'édition, il remplit diverses fonctions, dont celles
de réviseur de manuels scolaires et de superviseur éditorial. Il fut chef de
l'équipe des réviseurs pour l'*Encyclopédie du Canada* et a à son crédit six
traductions d'ouvrages canadiens-anglais.

Avant-propos

Un anglicisme est un mot, une expression, une construction ou une acception que l'on emprunte, légitimement ou non, à la langue anglaise. Le présent dictionnaire, de nature corrective, ne recense que les emprunts injustifiés. Est un emprunt injustifié toute expression, toute construction ou toute acception, bref tout mot pour lequel la langue française possède déjà un équivalent. Ainsi, *éditorial, football* et *point de vue* (« opinion ») sont des emprunts justifiés, mais *assurance-santé, sauver de l'argent* et *walkman* n'en sont pas.

La langue employée au Québec se modifie constamment, y compris les anglicismes. Certains n'ont plus cours, tels de nombreux termes du vocabulaire des chemins de fer. D'autres apparaissent, en informatique, par exemple. La troisième édition du *Colpron*, recense les nouveaux emprunts et indique, bien sûr, leurs équivalents français. Ce dictionnaire, entièrement refondu et mis à jour, comprend plus de 4 000 entrées. Il s'adresse aussi bien au grand public qu'aux étudiants.

Notre intention n'était pas de faire une étude exhaustive des anglicismes au Québec, mais d'en répertorier les plus courants. Il ne s'agissait pas de relever systématiquement toutes les acceptions non françaises d'un terme mais plutôt de traiter les plus fréquentes et leur emploi abusif.

Les incorrections sont classées par ordre alphabétique et le type de chaque anglicisme est indiqué par un pictogramme. Dans la deuxième colonne, l'incorrection est donnée en caractère bleu et par la suite remplacée par un tiret de même couleur. Le mot anglais n'est pas répété s'il est identique à celui de l'entrée. Les corrections données (synonymes ou autres) doivent être employées selon le contexte.

On dénombre six catégories d'anglicismes, décrites ci-dessous.

Anglicisme sémantique : mot français employé dans un sens propre à un mot anglais ressemblant et qui a connu une évolution différente (ex. : *pamphlet*), ou expression créée avec des mots français par traduction littérale de l'expression anglaise (ex. : *être sous l'impression que*).

Anglicisme lexical : mot ou expression anglaise empruntés tels quels (*kick, flow chart*) ou auxquels on donne une terminaison française (*checker, timer*).

Anglicisme syntaxique : calque d'une construction propre à la langue anglaise dans l'emploi des prépositions (*siéger sur un comité*) ou de la voix passive (*brochures à être distribuées*).

Anglicisme morphologique : erreur due au mauvais emploi du nombre (*douanes*), à la formation d'un mot (*direct*, *directement*) ou portant sur la terminaison (*complétion*).

Anglicisme phonétique : faute de prononciation d'un mot (*cents, standard*).

Anglicisme graphique : mot orthographié dans une forme apparentée à la forme anglaise (*addresse*) ou mot qui ne suit pas les règles françaises de ponctuation et d'abréviation (*a.m., p.m., apt.*).

En terminant, nous adressons nos remerciements enthousiastes à André Avard, pour son aide généreuse et son encouragement sans défaillance, à Jean Pellerin, pour son importante participation technique, à Monique Saint-Jean et à Robert Larose, pour leurs judicieux conseils, à Andrée Bisson, notre efficace trait d'union, à Isabelle Quentin, notre éditrice avertie, et à Guy Frenette, notre maître d'œuvre.

Constance Forest
Louis Forest

Symboles des types d'anglicismes

▼ sémantique   ■ morphologique
➤ lexical   ● phonétique
◆ syntaxique   ▲ graphique

Abréviations

c.-à-d.	c'est-à-dire	qqn	quelqu'un
fém.	féminin	sb	somebody
masc.	masculin	sth	something
qqch	quelque chose		

A

exemples de formes et d'emplois fautifs	formes correctes

▼ à

à : Pierre Roy / to:
de : Jeanne Régnier / from:
(en tête d'une note de service)

dest. : (pour destinataire),
exp. : (pour expéditrice)

les autorités ne sont pas prêtes
— **ce moment**, à engager le dialogue / at this moment

en ce moment,
actuellement

elle a reçu une lettre — **cet effet** / to this effect

en ce sens

— **date**, nous avons reçu 250 $ / up to date

à ce jour,
jusqu'à maintenant

les intérêts — **date** / to date

à ce jour

mettre un livret de banque — **date** / to date

à jour

nous n'avons rien — **faire avec** ça / we have nothing to do with that

nous n'avons rien à voir à cela,
nous n'y sommes pour rien

il reste deux minutes — **jouer** /
to play

de jeu

— **la discrétion de** / at sb's discretion (droit)

à l'appréciation de qqn,
au choix de qqn
(mais, pouvoir discrétionnaire
du juge : à la discrétion de)

— **la journée**, — **la semaine**, — **l'année longue** / all day long, all week long, all year long

à longueur de journée, de
semaine, d'année

la loi — **l'effet que** le gouvernement réduise ses dépenses / to the effect that

la loi établissant la réduction
des dépenses du gouvernement

À

exemples de formes et d'emplois fautifs	formes correctes
▼ à la nouvelle __ **l'effet que** la présidente démissionnerait / to the effect that	voulant que, indiquant que, disant que, selon laquelle, à savoir que, la nouvelle de la démission de
fonctionner __ **l'intérieur de** ce budget / to operate within this budget	dans les limites de
juger une proposition __ **son mérite** / to judge a proposition on its merits	sur le fond
Bien vôtre, Bien __ vous, Sincèrement vôtre / Truly yours, Sincerely yours (avant la signature dans une lettre)	Nous vous prions d'agréer, Madame, Monsieur, l'expression de nos sentiments distingués, ou encore : Je vous prie d'agréer, Madame, Monsieur, l'assurance de mes sentiments les meilleurs
dû __ un contretemps, la réunion n'a pas eu lieu / due to	à la suite de, à cause de, en raison de
dû __ vous, j'ai réussi / due to you	grâce à
être __ l'emploi de / in the employ of	être employé par, travailler pour, chez
être __ son meilleur dans tel domaine / to be at one's best	exceller, être au sommet de sa forme, au mieux
maintenant __ louer / now renting (affiche sur un nouvel immeuble)	prêt pour occupation
◆ à **à Edmundston, Nouveau-Brunswick /** in Edmundston, New Brunswick	à Edmundston, au Nouveau-Brunswick, ou Edmundston, (Nouveau-Brunswick)
avec intérêt __ 3 % par année / with interest at	avec intérêt de
avoir qqch __ la main / to have sth at hand	sous la main, à sa portée

	exemples de formes et d'emplois fautifs	formes correctes
◆ à	hâtez-vous ___ notre solde gigantesque / hurry to	de profiter de
	ce numéro est changé ___ 731-0000 / is changed to	est changé pour, a été remplacé par
	il perd le disque ___ Lemieux / he loses the puck to	aux mains de
	brochure ___ **être préparée**, ___ **être distribuée** / to be prepared, to be distributed	à préparer, à distribuer (on emploie l'auxiliaire être avec les verbes passifs, réfléchis et plusieurs verbes intransitifs)
	voyager ___ **travers le** Québec, le monde / around, across	partout au Québec, aux quatre coins du Québec, autour du monde
➤ abandon	**abandon edit** (informatique)	cessation
▲ abbréviation	**abbréviation**	abréviation
➤ abort	**abort, aborting procedure** (informatique)	abandon, procédure d'abandon
▼ absorbant	**coton absorbant** / absorbent cotton	coton hydrophile
▼ abus	**abus physiques** sur les enfants / physical abuses	mauvais traitements, sévices
	être accusé d'___ **sexuels** / sexual abuses	délits sexuels
	être victime d'___ **sexuels**	violence sexuelle, agression sexuelle
▼ abusé	être **abusé** sexuellement / to be sexually abused	violenté
▼ abusif	parents **abusifs** / abusive	qui maltraitent les enfants
▼ académique	année, dossier **académique** / academic year, record	scolaire, universitaire

	exemples de formes et d'emplois fautifs	formes correctes
▼ académique	discours __ / academic speech	abstrait, froid, guindé, compassé
	fonctions, tâches __ / academic duties	pédagogiques
	formation __ / academic training	générale
	liberté __ / academic freedom	de l'enseignement
	matières __ / academic subjects	théoriques
	ouvrage __ / academic work	didactique
▼ accommodation	l'entreprise paie **pour** les repas et l'**accommodation** pendant les déplacements / for accommodation	paie les repas et le logement, les repas et la chambre
	les __ des hôtels montréalais / hotel accommodations	capacité d'accueil, d'hébergement, capacité hôtelière (sing.)
	pour l'__ des visiteurs / accommodation	hébergement
▼ accommoder	**accommoder** tout le monde / to accommodate	aider, rendre service à
	la salle peut __ 200 personnes / can accommodate	recevoir, accueillir, a une capacité de
▼ accomplissement	l'acquisition de cette peinture par le musée est l'**accomplissement** de sa carrière / accomplishment	couronnement
	ses __ comme administrateur /	réalisations
▼ accord	**en accord avec** le règlement n° 12 / in accordance with	conformément au, en vertu du, suivant le, selon le
	en __ avec ce que nous avions prévu / according to	conformément à, selon

	exemples de formes et d'emplois fautifs	formes correctes
▼ accréditation	demander l'**accréditation** au ministère / accreditation	agrément
▼ accrédité	hôpital **accrédité** par le ministère de la Santé / accredited hospital	agréé
◆ accru	**volume accru** du courrier / increased volume of	accroissement
▼ accru	intérêt **accru** / accrued interest	couru, cumulé
▼ acheter	**acheter** une assurance / to buy insurance	contracter, souscrire une assurance
	— une proposition, une argumentation / to buy a proposal, an argumentation	accepter, admettre, se rendre à, se laisser convaincre par
▼ achever	**achever** un but / to achieve a goal	atteindre
▼ acier	**laine d'acier** / steel wool	paille d'acier
▼ acompte	payer 100 $ **en acompte** / to pay $100 on account	verser un acompte de, payer 100 $ à compte
➤ acoustic	**acoustic cover** (informatique)	capot d'insonorisation
▼ acquis	**prendre qqch pour acquis** / to take sth for granted	tenir qqch pour acquis, pour certain, présupposer, admettre au départ, poser en principe, admettre sans discussion
	prendre qqn pour — / to take sb for granted	traiter qqn en quantité négligeable, ne tenir aucun compte de qqn
▼ acte	**acte** / Act (droit)	loi
	— **d'incorporation** / incorporation act	loi de constitution de société

	exemples de formes et d'emplois fautifs	formes correctes
▼ acte	__ de Dieu / Act of God	désastre naturel, fléau de la nature, cas de force majeure, cas fortuit, événement fortuit
➤ acter	acter / to act	tenir un rôle, jouer (au théâtre, au cinéma), faire semblant, jouer la comédie
▼ actif	actif intangible / intangible asset	bien incorporel, élément d'actif incorporel
	__ tangible / tangible asset	bien corporel, élément d'actif corporel
	actifs intangibles / intangible assets	actif incorporel, immobilisations incorporelles
	__ tangibles / tangible assets	actif corporel, immobilisations corporelles
■ actif	les actifs de cette compagnie / the assets	l'actif
▼ action	action préférentielle / preferred share (finance)	action privilégiée (mais une situation privilégiée permet le bénéfice d'un traitement préférentiel)
	prendre une __, des procédures contre qqn / to take action, proceedings against	actionner qqn, intenter un procès à, des poursuites contre, poursuivre, citer en justice, poursuivre, engager, exercer des poursuites, engager, entamer, intenter une procédure contre, aller en justice
	__ votante ou non votante / voting share or non-voting share (finance)	avec droit de vote, sans droit de vote

	exemples de formes et d'emplois fautifs	formes correctes
▼ action	**prendre __** / to take action	passer à l'action, prendre une initiative, des mesures, faire qqch (ex. : pour résoudre un problème)
➤ active	**active file** (informatique)	fichier actif
▼ actuellement	on devait livrer un colis demain, mais **actuellement** on le livrera aujourd'hui / actually	de fait, en réalité, effectivement
	penses-tu qu'elle était __ surprise?	réellement, vraiment
■ adapteur	**adapteur** / adaptor	adaptateur (de courant électrique ou pour appareils électriques)
■ addendum	**addendum** à une étude, à un rapport d'enquête	*addenda*
➤ additional	**additional character** (informatique)	caractère spécial
▼ additionnel	on nous a donné quinze minutes **additionnelles** / additional	supplémentaires, de plus
	sans charges __ / no extra charge	tout compris, tous frais compris, net
➤ address	**address field** (informatique)	zone adresse
	__ register (informatique)	registre d'adresse
▲ addresse	**addresse** / address	adresse
▼ adjudication	**adjudication** (employé correctement dans une vente aux enchères) (droit)	jugement, décision
▼ administrer	c'est le ministère des Finances qui **administre** l'arrêté ministériel / ... that administers the order	applique
	administrer un test / to administer a test	faire passer

	exemples de formes et d'emplois fautifs	formes correctes
▼ admission	c'est la seule **admission** que les autorités veulent faire / the only admission	concession
	__ gratuite / free admission	entrée gratuite
	pas d'__ / no admittance	entrée interdite, défense d'entrer
	pas d'__ **sans affaires** / no admittance without business	interdit au public, entrée interdite sans autorisation, défense d'entrer sauf pour affaires, entrée réservée
	prix d'__ à un spectacle / price of admission	prix d'entrée, entrée, droit d'entrée
▼ adopter	**adopter** un règlement / to adopt a rule	prendre, édicter (mais : adopter une loi)
▲ adresse	**Monsieur Joseph Fox, Les Produits Excellence ltée, 112 rue Star, Saint-Félix. /** Mr. J. Fox, Excellence Products Ltd., 112 Star Street, St. Felix. (ponctuation dans la suscription d'une lettre)	Monsieur Joseph Fox Les Produits Excellence ltée 112, rue Star Saint-Félix (une virgule entre le numéro et le nom de la rue est la seule ponctuation requise)
	408 rue Leblanc (l'absence de ponctuation forme l'anglicisme) / 408 Leblanc St.	408, rue Leblanc (virgule)
◆ adresser	**adresser** l'auditoire / to address the audience	s'adresser à, adresser la parole à
▼ affaire	**heures d'affaires** / business hours	heures d'ouverture (magasins ou commerces), heures de bureau, horaire (selon le contexte), ouvert de... à...
	à l'ordre du jour : **autres** __ / other business	divers

	exemples de formes et d'emplois fautifs	formes correctes
▼ affaire	avoir une ___ / to have an affair	liaison amoureuse, liaison
	carte d'___ / business card	carte de visite, carte professionnelle
	par ___ / on business	pour affaires
▼ affecter	cette taxe **affecte** 60 p. 100 de la population / this tax affects	atteint, touche
	la maladie ___ ses résultats / affects	influe sur, nuit à
▼ affirmative	répondre **dans l'affirmative** / to answer in the affirmative	par l'affirmative, affirmativement
▼ agenda	**agenda** de la réunion, des journées d'étude / meeting, session agenda	ordre du jour, programme
▼ aggravant	la situation n'est pas **aggravante** pour les cambistes / aggravating	exaspérante, aggravée
➤ agreement	**gentleman's agreement**	engagement moral
▼ agressif	représentant **agressif** / aggressive salesman	dynamique, énergique, persuasif
	politique de vente ___ / aggressive policy	vigoureuse
➤ AI	**AI, artificial intelligence** (informatique)	IA, intelligence artificielle
▼ aider	est-ce que je peux vous **aider**? / can I help you?	être utile?, servir?, vous désirez?
▼ air	**appareil à air conditionné** / air conditioner	climatiseur, conditionneur d'air (mais : une salle à air conditionné)
	sur l'___ / on the air (à la porte d'un studio)	sur les ondes, en ondes, à l'antenne, émission en cours

	exemples de formes et d'emplois fautifs	formes correctes
➤ air foam	**air foam**	mousse de polyuréthane, caoutchouc mousse (lorsque le produit est à base de caoutchouc naturel)
▼ aisé	**prendre ça aisé** / to take it easy	ne pas s'en faire, en prendre à son aise, prendre son temps, se la couler douce
▼ ajourner	**ajourner** la séance / to adjourn	lever la séance (mais : ajourner un procès)
▼ ajustable	dispositif **ajustable** / adjustable	réglable
▼ ajustement	l'**ajustement** fait partie du règlement du sinistre / claim settlement adjustment	expertise
	＿ d'une police d'assurance-vie en cas de déclaration inexacte / adjustment of a life insurance policy because of a misstatement	normalisation
	＿ de compte	rectification
	＿ de salaire	rajustement, redressement, révision, relèvement, hausse
	＿ d'un appareil	réglage, mise au point
▼ ajuster	**ajuster** l'image, le son d'un téléviseur, le régime d'un moteur / to adjust	régler (ajuster relève du domaine technique)
	s'＿ à une idée / to adjust oneself to an idea	se faire, s'adapter
▼ ajusteur	**ajusteur** en assurances / adjuster	expert en assurances, en sinistres, estimateur, appréciateur d'assurances
▼ alarme	**boîte d'alarme** / alarm box	avertisseur d'incendie
▲ alcohol	**alcohol**	alcool (se prononce « alcol »)

	exemples de formes et d'emplois fautifs	formes correctes
▼ alcool	**être sous l'influence de l'alcool** / to be under the influence of alcohol	être en état d'ébriété
▼ alignement	**alignement** des roues d'une automobile / wheel alignment	parallélisme des roues, réglage du train avant
➤ all	pizza **all dressed**	combinée
➤ allée	**allée** / alley	bille (à jouer)
▼ aller	**aller en grève** / to go on strike	faire la grève, déclencher une grève, se mettre en grève
	__ **sous presse** / to go to press	mettre sous presse
	Marie nous quitte, **nous __ la** manquer / we are going to miss her	elle va nous manquer
	l'équipe y **va pour** un autre match / goes for (sport)	jouera un autre match
▼ allouer	les Expos ont **alloué** trois points aux Astros / have allowed (sport)	accordé, concédé
▼ alors	nous connaîtrons le nom des gagnants **alors que** le tirage aura lieu aujourd'hui / when	à l'issue du tirage
▼ altération	le plan aurait besoin d'**altérations** (le sens de ce mot : dégradation, détérioration) / alterations	modifications, changements
	__ **faites** pendant que vous attendez / alterations while you wait	retouches
	fermé **pour __** / closed for alterations	pendant les transformations, la réfection, les rénovations
➤ alternate	**alternate key** (informatique)	touche à double fonction
▼ alternative	la première **alternative** est plus importante que la deuxième / the first alternative	possibilité, option, choix
	proposition __ / alternative proposal	contre-proposition
	solution __ / alternative solution	de rechange

	exemples de formes et d'emplois fautifs	formes correctes
▼ alternative	il existe des ▬	des solutions de rechange, d'autres possibilités
	nous sommes devant deux ▬ / a double alternative, two alternatives	deux choix, deux possibilités, deux éventualités, une alternative (une alternative comporte deux possibilités, deux alternatives signifient donc quatre possibilités)
	école ▬ / alternative school	école innovatrice
➤ aluminum	**aluminum**	aluminium
▲ a.m.	défense de stationner – 7 à 9 **A.M.**, 4 à 6 **P.M.** / no parking – 7 to 9 A.M., 4 to 6 P.M. (les expressions *ante meridiem* et *post meridiem* empruntées au latin ne s'emploient pas en français)	7 h à 9 h, 16 h à 18 h
▼ amalgamation	**amalgamation** de deux entreprises	fusion, association
▼ amender	**amender** un contrat d'assurance / to amend	modifier (mais : amender un projet de loi)
▼ amener	**amener** un projet de loi / to bring in	déposer, présenter
▼ ami	**ami de garçon, amie de fille** / boyfriend, girlfriend	petit ami, petite amie ami de cœur, amie de cœur
	faire amis / to make friends	devenir amis, se lier d'amitié
▼ amour	être **en amour avec** qqn / to be in love with sb	être amoureux de
	tomber en ▬ / to fall in love	tomber amoureux, devenir amoureuse, s'éprendre de qqn
➤ ampacity	**ampacity** (formé des mots anglais « ampere » et « capacity »)	courant admissible (d'un conducteur)

	exemples de formes et d'emplois fautifs	formes correctes
➤ ampersand	**ampersand**	perluette ou esperluette ou signe de compagnie (&), remplace « et »
➤ amplifier	**amplifier** (informatique)	amplificateur
▼ amusement	**parc d'amusement** / amusement park	parc d'attractions
	taxe d'__ / amusement tax	taxe sur les spectacles
▼ année	**année du calendrier** / calendar year	année civile
	à la journée, à la semaine, à l'__ longue / all day long, all week long, all year long	à longueur de journée, de semaine, d'année
	__ fiscale / fiscal year	année budgétaire, financière, exercice budgétaire, comptable, financier, exercice (fiscal : du domaine de l'impôt)
➤ annexation	**annexation**	annexion
▼ annonce	**annonces classées** d'un journal / classified ads	petites annonces
▼ annuité	la caisse de retraite assure une **annuité** de 7 % / annuity	rente
➤ answering	**answering service**	permanence téléphonique
▼ anticipé	dividendes **anticipés** / anticipated	prévus, espérés, escomptés
▼ anticiper	**anticiper** de bonnes affaires / to anticipate	s'attendre à, prévoir
	__ un fiasco	appréhender, craindre
➤ antifreeze	**antifreeze** (auto)	antigel
➤ antiques	**antiques**	antiquités, brocante

	exemples de formes et d'emplois fautifs	formes correctes
▼ anxieux	être **anxieux** de revoir une amie / to be anxious of	avoir hâte de, être impatient de, être désireux de
▲ apartement	**apartement** / apartment	appartement
▼ appareil	**appareil à air conditionné** / air conditioner	climatiseur, conditionneur d'air (mais : une salle à air conditionné)
▼ appartement	**bloc à appartements** / apartment block	immeuble d'habitation, immeuble résidentiel
	habiter un __ **fourni** / furnished apartment	un meublé
	logement de cinq __	pièces
▼ appel	**retourner un appel** / to return a call (téléphone)	rappeler
▼ appeler	qui **appelle**? / who is calling? (téléphone)	qui est à l'appareil?, de la part de qui?
	appeler une réunion / to call	convoquer une réunion
	__ l'ascenseur	faire venir
	__ une pénalité, une punition de la part de l'arbitre	annoncer, infliger, imposer, donner
▼ applaudissement	**donnons une bonne main d'applaudissements** / a big hand	applaudissons chaleureusement
➤ applicant	un **applicant** à un emploi	postulant, candidat
▼ application	**application personnelle** / personal application	se présenter en personne
	formule d'__ / application form	de demande d'emploi

	exemples de formes et d'emplois fautifs	formes correctes
▼ application	**faire ___, appliquer pour, sur** un emploi / to make an application for a job, to apply for a job	postuler un emploi, faire une demande d'emploi, offrir ses services, solliciter un emploi, poser sa candidature à un emploi, remplir une formule de demande d'emploi
➤ application	**application layer** (informatique)	couche d'application
	___ program (informatique)	programme d'application
	___ software (informatique)	logiciel d'application
▼ appliquer	**appliquer pour** une subvention / to apply for a grant	demander une subvention, faire une demande de, adresser une demande de, présenter une demande de
	___, faire application pour, sur un emploi / to apply for a job, to make an application	postuler, solliciter un emploi, faire une demande d'emploi, offrir ses services, poser sa candidature à un emploi, remplir une formule de demande d'emploi
▼ appointé	être **appointé** à un nouveau poste / to be appointed	obtenir un, être nommé à, être désigné à
▼ appointement	**appointement** chez la dentiste / appointment	rendez-vous
	___ au poste de directrice / appointment as head	nomination
▼ apporter	le nouveau produit vous **apporte** une efficacité sans pareil / this new product brings you	offre
▼ apprécier	j'**apprécierais** que vous me donniez les documents nécessaires / I would appreciate	j'aimerais que, je vous serais reconnaissant que
▼ approbation	envoyer des marchandises **en approbation** / on approval	à l'essai, sous condition

15

	exemples de formes et d'emplois fautifs	formes correctes
▼ approcher	**approcher** qqn au sujet d'un projet / to approach sb	parler d'un projet à qqn, proposer un projet à qqn, faire une démarche auprès de qqn au sujet de, pressentir qqn
	— un problème sous un mauvais angle / to approach a problem	aborder
▼ appropriation	les sommes prévues pour engager certaines dépenses sont des **appropriations**	crédits
▼ approprié	somme d'argent **appropriée** à tel usage / appropriated	affectée à, appliquée à
◆ approuvé	donner la suite voulue, **si approuvé** / if approved	si le projet, le rapport est approuvé, moyennant approbation, après approbation
▼ après	**après considération**, nous avons décidé / after consideration	après réflexion
▼ après-midi	**bon après-midi** / good afternoon (téléphone)	bonjour
▲ apt.	**apt.** (apartment)	app.
➤ arborite	**arborite** (marque déposée)	un stratifié, un lamifié
➤ arcades	les **arcades** sont très populaires chez les adolescents	jeux électroniques, salles de jeux électroniques
▼ arche	**arche** du pied / arch	cambrure
▼ argent	**argent de papier** / paper money	billet de banque
■ argents	**les argents** (anglicisme et archaïsme) serviront à lancer l'entreprise / moneys, monies	l'argent (jamais au pluriel), fonds, sommes d'argent, sommes, capitaux
▼ argument	avoir un **argument** avec qqn / to have an argument with sb	discussion, dispute

	exemples de formes et d'emplois fautifs	formes correctes
▼ armature	**armature** d'alternateur, de génératrice, de dynamo	induit
▼ arrêt	**être sous arrêt** / to be under arrest	être en état d'arrestation, être arrêté
	mettre sous __ / to put under arrest	mettre en état d'arrestation, arrêter
◆ arrêté	ne pas dépasser ce véhicule **quand arrêté** / do not pass when stopped	quand il est arrêté, à l'arrêt
▼ arriver	qu'est-ce qu'il **arrive avec** toi? / what's happening with you?	advient de toi?, que deviens-tu?
➤ arrow	**arrow key** (informatique)	touche de directivité, de déplacement, touche curseur
▼ articulé	conférencier **articulé** / articulate	éloquent, qui s'exprime fort bien
➤ artificial	**AI, __ intelligence** (informatique)	IA, intelligence artificielle
	__ language (informatique)	langage artificiel
▼ assaut	**assaut** / assault	agression, voies de fait, attaque
▼ assemblage	**ligne de montage, d'assemblage** / assembly line (usine)	chaîne de montage, chaîne de fabrication
➤ assembler	**assembler** (informatique)	programme d'assemblage
▼ assesseur	évaluation faite par le bureau des **assesseurs** / assessors	estimateurs
▼ assiette	**assiette froide** / cold plate	assiette de viandes froides, viandes froides, assiette anglaise
◆ assigner	on va vous **assigner** à cette tâche / to assign	affecter à, cette tâche vous sera assignée

	exemples de formes et d'emplois fautifs	formes correctes
➤ assist	**assist** (hockey)	assistance, aide
▼ assistant	**assistante-comptable** / assistant accountant	aide-comptable, comptable adjoint (mais : assistante sociale, assistant du metteur en scène)
	___-directeur / assistant manager	directeur adjoint, chef adjoint
	___-gérante / assistant manager (dans une entreprise commerciale)	adjointe au gérant
	___-mécanicien / assistant mechanic	aide-mécanicien
▼ assumé	x représente l'écart entre le point-milieu d'une classe et la moyenne **assumée** / assumed	hypothétique, théorique
▼ assumer	j'ai **assumé** que tu serais d'accord / I have assumed that	présumé
▼ assurance	**assurance de groupe** / group insurance	assurance collective
	plan d'___ / insurance plan	police, contrat d'assurance
	privilège d'___ libérée / reduced paid-up insurance privilege	droit de réduction
	privilège d'___ temporaire prolongée / extended term insurance privilege	droit de prolongation
▼ assurance-feu	**assurance-feu** / fire insurance	assurance-incendie
▼ assurance-santé	**assurance-santé** / health insurance	assurance-maladie
▼ attaque	**attaque** cardiaque / heart attack	crise cardiaque
▼ atteindre	nous ne pouvons vous **atteindre** au téléphone / we cannot reach you on the phone	joindre, rejoindre
▼ attendre	il faut **attendre et voir** / wait and see	voir venir
▼ attractif	document présenté de façon **attractive**	attrayante, attirante
▼ au	être **au neutre** / to be in neutral	au point mort
	juger une question, voter **___ mérite** / on the merit	au fond, quant au fond

	exemples de formes et d'emplois fautifs	formes correctes
▼ au	__ **meilleur de ma connaissance** / to the best of my knowledge	pour autant que je sache, à ma connaissance, d'après ce que je sais
	__ **meilleur de ma mémoire** / to the best of my memory	autant que je m'en souviens, que je m'en souvienne
	__ **meilleur de mon jugement** / to the best of my judgment	autant que j'en puis juger, que j'en puisse juger
	__ **meilleur de ses capacités** / to the best of one's ability	de son mieux, dans la pleine mesure de ses moyens
	un chèque, un mandat __ **montant de 5 $** / to the amount of	de, d'une somme de
▼ aucun	**pour aucune considération** / on no consideration	à aucun prix, pour quelque motif que ce soit, pour rien au monde, sous aucun prétexte
	venez **en __ temps** / at any time	n'importe quand, en tout temps
➤ audacité	**audacité** / audacity	audace, insolence, effronterie
▼ audience	l'**audience** a applaudi / audience	assemblée, assistance, auditoire, spectateurs
▼ auditeur	nous soumettons nos comptes à un **auditeur** / auditor	un vérificateur, une experte-comptable
▼ autant	**en autant que** cela vous intéresse / inasmuch as, insofar as	dans la mesure où, pourvu que, vu que
	cette cinquième baisse de l'indice XXM **en __ de** jours / in as many days	en cinq jours (répétition obligatoire de l'adjectif numéral)

	exemples de formes et d'emplois fautifs	formes correctes
▼ autant	**en __ que je suis concerné** / as far as, insofar as I am concerned	en ce qui me concerne, quant à moi, pour ma part, à mon avis
➤ auto-dialing	**automatic dialing, auto dialing, autodialing, auto-dialing** (informatique)	composition automatique, numérotation automatique
◆ auto-lave	**auto-lave** Rivard / car wash	lave-auto
➤ automation	**automation** (informatique)	automatisation
	office __, office data processing (informatique)	bureautique
▼ autre	la Fondation versera **un autre** 10 000 $ à l'Université / another	10 000 $ supplémentaires, ajoutera une somme de 10 000 $
	à l'ordre du jour : __ **affaires** / other business	divers
	les __ **deux** semaines / the other two weeks	les deux autres semaines
▼ autrement	il est absent **plus souvent qu'autrement** / more often than not	la plupart du temps
➤ auxiliary	**auxiliary storage** (informatique)	mémoire externe
▼ avant	être **avant son temps** / ahead of her time	innovatrice, avant-gardiste, en avance sur son époque
	arriver **en __ de son temps** / ahead of time	en avance, d'avance, avant l'heure prévue ou fixée
▼ avantage	vouloir **prendre avantage** de ce droit, de cette possibilité / to take advantage of	profiter de, se prévaloir de, tirer parti de
▲ Ave.	**Ave.** (Avenue)	av. (avenue)
▼ avec	**avec comme, __ pour résultat** que / with the result that	de sorte que, de telle sorte que, en conséquence
	en accord __ ce que nous avions prévu / according to	conformément à, selon

	exemples de formes et d'emplois fautifs	formes correctes
▼ avec	**en accord** — le règlement n° 12 / in accordance with	conformément au, en vertu du, suivant le, selon le
	j'ai reçu un appel **en rapport** — l'accident / in connection with	relativement à, au sujet de
	— **la conséquence, le résultat** que / with the result that	de sorte que, de telle sorte que, en conséquence
	la joueuse s'est blessée, on devrait savoir aujourd'hui ce qui **se passe** — elle / what is going on with	ce qui lui arrive, on aura de ses nouvelles aujourd'hui
	nous n'avons rien **à faire** — ça / we have nothing to do with that	nous n'avons rien à voir à cela, nous n'y sommes pour rien
	qu'est-ce qu'il **arrive** — toi? / what's happening with you?	advient de toi?, que deviens-tu?
	se sentir **inconfortable** — cette décision / uncomfortable with	mal à l'aise de, gêné de
◆ avec	s'identifier **avec** qqn / to identify with	à
	aider qqn — ses valises / to help sb with	à porter
	c'est — cette présentation que prend fin le colloque / with this	par
	elle a été vingt ans — ce service-là / to be with	dans
	êtes-vous satisfait — lui? / with	satisfait, content de lui
	être au lit — la grippe / to be in bed with flu	souffrant de
	être **content** — ses résultats / to be satisfied with	content de
	la personne **que** j'ai parlé — / the person I talked with	avec qui j'ai parlé
	le stylo **que** j'écris — / the pen I am writing with	avec lequel j'écris
	nous sommes — vous dans une minute / with you	à vous

	exemples de formes et d'emplois fautifs	formes correctes
◆ avec	que faire — cela? / what to do with that?	de
	remplir — du vin / to fill with	de vin
	tailleur garni — **des** boutons dorés / trimmed with	de
	vendre — perte / with loss	à
	vérifier — l'administration / to check with	vérifier auprès de
	voyager, s'envoler — Canadien / with	par
◆ avenue	**Parc avenue** / Park Ave. (Avenue)	avenue du Parc, av. du Parc
▲ avenue	**Ave.** (Avenue)	av. (avenue)
▼ avis	donner deux semaines d'**avis** / to give two weeks' notice	donner avis deux semaines d'avance, un préavis de deux semaines
	veuillez **prendre** — de la nouvelle version du règlement / to take notice of	prendre connaissance, acte
▼ aviser	**aviser** qqn / to advise sb	donner des conseils à qqn, conseiller qqn
➤ aviseur	**aviseur légal** / legal advisor	conseiller juridique, avocat consultant, avocat-conseil, avocat
	— technique / technical advisor	conseiller technique
➤ avocado	**avocado** (fruit de l'avocatier)	avocat
▼ avoir	**avoir le meilleur sur** / to get the best of	l'emporter sur, avoir l'avantage sur, vaincre, triompher de
	— **les bleus** / to have the blues	avoir des idées noires, broyer du noir, avoir le cafard, se sentir déprimé

exemples de formes et d'emplois fautifs	formes correctes
▼ avoir	
___, **prendre le plancher** / to have, to take the floor	avoir, prendre la parole
nous ___ **été refusés** de le faire / we were refused to do it	on nous a refusé la permission de le faire
S.V.P. me **laisser** ___ une copie du mémoire / let me have	me procurer

B

	exemples de formes et d'emplois fautifs	formes correctes
➤ bachelor	**bachelor**	studio
➤ back	commande en **back order**	commande en souffrance, en retard (non livrée à la date prévue), reste de commande (partie d'une commande non encore livrée), livraison différée (livraison du reste d'une commande)
➤ backer	la banque nous **backe** / we are backed by the bank	soutient financièrement, finance, prête
➤ backfire	**backfire** (auto)	retour de flammes, de carburateur
➤ background	**background**	arrière-plan, toile de fond
		musique de fond, fond sonore, musique d'atmosphère
		antécédents, expérience, formation (d'un candidat)
		historique, contexte, cadre, antécédents (d'une affaire)

	exemples de formes et d'emplois fautifs	formes correctes
➤ backlash	ce vote est un **backlash** contre la politique du gouvernement	répercussion, contrecoup, choc en retour, réaction
➤ backlog	on va s'attaquer au **backlog** après avoir fini les travaux urgents	travail en retard
	— (ensemble des commandes reçues mais non encore exécutées)	carnet de commandes
➤ backpay	**backpay**	rappel de salaire, chèque de rappel, arriérés, salaire rétrospectif
➤ backspace	**backspace key** (informatique)	touche d'espacement arrière, de rappel arrière
➤ backstop	**backstop** (baseball)	filet d'arrêt
➤ backswing	**backswing** (golf)	élan arrière
➤ backup	**backup copy** (informatique)	copie de sauvegarde, de sécurité, de secours
	— **file** (informatique)	fichier de sauvegarde, de sécurité, de secours
➤ bag	c'est pas mon **bag**	genre
	tout mettre dans le même —	panier, sac
	— **lady**	clocharde
	doggy —	sac à restes, emporte-restes
	punching — (pour l'entraînement des boxeurs)	sac de sable
	shopping —	sac, filet à provisions
	sleeping —	sac de couchage
▲ baggage	**baggage**	bagage

	exemples de formes et d'emplois fautifs	formes correctes
▼ bain-tourbillon	**bain-tourbillon** / whirlpool bath	baignoire à remous
▼ balance	**balance** d'un compte, d'une facture / balance of an account, of an invoice	solde, reste (mais : balance de paiements, balance commerciale)
	— du matériel, de la commande, de la semaine, du mois / balance of the stock, of an order, of the week, of the month	reste
	— de la semaine, du mois / balance of the week, of the month (comptabilité)	solde
	— reportée / balance carried forward	report, solde reporté
	— en main / balance in hand	solde en caisse
	feuille de **—** / balance sheet	bilan
▼ balancé	repas bien **balancé** / well-balanced meal	équilibré
▼ balancement	**balancement** des roues / wheel balancing	équilibrage
▼ balancer	**balancer** un budget / to balance a budget	équilibrer
➤ bale	**bale** de papier, de diverses marchandises	balle, ballot
➤ ball	**fall ball** (baseball)	balle fausse
➤ ballot	**ballot** de vote	bulletin de vote
➤ balloune	**balloune** / balloon (sport)	ballon
	— de savon, de gomme	bulles
	envoyer une — (baseball, tennis)	chandelle
	gomme — / bubble gum	gomme à claquer, à bulles
	souffler dans la —	alcoomètre, ballon d'alcootest, ballon, passer l'alcootest
➤ ballpoint	stylo **ballpoint**	stylo à bille, stylo-bille

	exemples de formes et d'emplois fautifs	formes correctes
➤ baloné	**baloné** / bologna	saucisson de Bologne, mortadelle
▼ banc	**être sur le banc** / to be on the bench	être magistrat ou magistrate, siéger au tribunal
	jugement rendu **sur le ___** / on the bench, passed on the bench	sur le siège, sans délibéré, séance tenante
	monter sur le ___ / to be raised to the bench	accéder à la magistrature, être nommé juge
➤ band	**band**	ensemble, formation
	___ aid (marque déposée)	pansement tout fait, préconfectionné
➤ bank	**data bank** (informatique)	banque de données
▼ banlieues	**les banlieues** de Montréal / suburbs of Montreal	la banlieue de
▼ banque	**banque** d'enfant / bank	tirelire
▼ banqueroute	être acculé à la **banqueroute** / bankruptcy	faillite (banqueroute : faillite accompagnée de fraude)
➤ bar	**bar à salades** / salad bar	buffet de salades, comptoir à salades
	___ code (informatique)	code à barres
➤ bargain	**bargain**	aubaine, occasion, prix de faveur, prix global
	___ conclu	marché
▼ barre	**barre** de savon / bar	pain de savon, savonnette
➤ basique	est-ce une question **basique**? / basic	fondamentale, de base
➤ bassinette	**bassinette** / bassinet	berceau à roulettes, moïse

	exemples de formes et d'emplois fautifs	formes correctes
➤ bat	**bat** (baseball)	bâton
➤ batch	**batch** (informatique)	lot
	— d'objets divers	lot, paquet, quantité
	— **processing** (informatique)	traitement par lots, en différé, différé, en temps différé, groupé, hors ligne
▼ bateau	**être dans le même bateau** / to be in the same boat	être dans le même cas, logé à la même enseigne
	manquer le — / to miss the boat	perdre, rater l'occasion de, manquer le coche
▼ batterie	**batterie** de lampe de poche / battery	pile
➤ bay window	**bay window**	fenêtre en saillie
➤ beam	**beam**	solive
➤ bean	qui n'aime pas les **jelly beans**?	jujubes
➤ beat	**beat** à suivre	tempo, rythme, mesure
▼ beaucoup	traction avant, moteur longitudinal, suspension indépendante aux quatre roues **et beaucoup plus**! / and much more	et bien d'autres choses encore!
▼ bébé	ce service, c'est un peu mon **bébé** / my baby	œuvre, création, affaire
	ce secteur-là, c'est votre —	domaine favori, affaire

	exemples de formes et d'emplois fautifs	formes correctes
➤ bed-and-breakfast	**bed-and-breakfast**	gîte touristique, gîte du passant, gîte et petit déjeuner, chambres d'hôtes, couette et café, maison d'hôte, chambre et petit déjeuner
➤ beef	**roast beef**	rôti de bœuf, rosbif
➤ bellboy	**bellboy** (hôtellerie)	chasseur
	Bellboy (marque déposée), paging system, paging unit, pager	téléavertisseur, récepteur de recherche de personnes
➤ benchmark	**benchmark**	jalon, repère
	___ test, benchmarking	test de performance, banc d'essai
➤ bender	**bender**	tendeur
▼ bénéfice	**bénéfices** touchés en vertu de la police d'assurance / benefits payable under this insurance policy	indemnités
	collecte **pour le ___** des handicapés / for the benefit of	au profit, à l'intention, au bénéfice, en faveur
	___ de décès / death benefits	bénéfices en cas de décès
	___ de maladie, de maternité, d'incapacité / sickness, maternity, disability benefits	prestations de maladie, de maternité, pour incapacité
	___ **marginaux** / fringe benefits	avantages sociaux (d'un employé), charges sociales (d'une entreprise)

	exemples de formes et d'emplois fautifs	formes correctes
▼ bénéficier	la mesure **bénéficiera** à tout le monde / will benefit	profitera à, tout le monde bénéficiera de la mesure, tous pourront profiter de cette mesure
➤ best	**le best** serait de procéder de cette façon	le mieux, l'idéal, la meilleure chose
➤ bicycle	**bicycle**	bicyclette, vélo
➤ bider	**bider** pour obtenir le contrat / to bid for	soumissionner, faire une offre
▼ bien	ce joueur a **bien fait** au cours de la première manche / has done well	bien joué, fait belle figure
	elle a — **fait** dans ses études cette année	réussi
	vous avez — **fait** pendant votre période d'essai / you did well	fourni un bon rendement
	— **vôtre, Bien à vous, Sincèrement vôtre** / Truly yours, Sincerely yours (avant la signature dans une lettre)	Nous vous prions d'agréer, Madame, Monsieur, l'expression de nos sentiments distingués, ou encore : Je vous prie d'agréer, Madame, Monsieur, l'assurance de mes sentiments les meilleurs
▼ bien-être	vivre **sur le bien-être social, sur le bien-être** / on social welfare, welfare	de l'assistance sociale, toucher des prestations d'aide sociale, recevoir de l'aide sociale
◆ bienvenue	**Bienvenue** / Welcome (formule d'accueil)	Soyez la bienvenue, Madame; ou encore: Soyez les bienvenus

	exemples de formes et d'emplois fautifs	formes correctes
▼ bienvenue	il m'a dit merci, j'ai répondu : **bienvenue** / welcome	il n'y a pas de quoi, y a pas de quoi, c'est un plaisir, ce n'est rien, de rien, je vous en prie
➤ big	au Forum, c'est la section des **big shots**	grosses légumes, huiles
➤ bill	**bill**	facture (fournisseur, garage, magasin)
		note (hôtel)
		addition (restaurant)
		projet de loi (du gouvernement, avant l'adoption), proposition de loi (d'un parlementaire, avant l'adoption), loi (après l'adoption)
	➤ **privé** / private bill	projet de loi d'intérêt particulier (ou d'intérêt privé)
	de gros ➤	billets de banque, billets
▼ billet	tu vas avoir un **billet** si tu stationnes là / parking ticket	contravention
	billet de saison pour assister aux matchs de hockey / season ticket	abonnement
	➤ **payables** / bills payable	effets à payer
	➤ **recevables** / bills receivable	effets à recevoir
➤ billion	**billion** / billion (ce mot a le sens de milliard pour les Américains contrairement aux Britanniques, pour qui le mot billion a le même sens qu'en français, c.-à-d. un million de millions)	milliard (mille millions)
➤ binne	**binnes** / beans	fèves au lard

	exemples de formes et d'emplois fautifs	formes correctes
➤ bit	**sign bit** (informatique)	bit de signe
	stop __ (informatique)	bit d'arrêt
➤ black box	**black box** (informatique)	boîte noire
➤ black eye	**black eye**	œil au beurre noir, œil poché
◆ blâmer	**blâmer** qqch **sur** qqn / to blame sth on sb	blâmer qqn de qqch, imputer qqch à qqn, rejeter la faute ou la responsabilité de qqch sur qqn
▼ blanc	**blanc** de chèque / blank	formule de chèque, chèque en blanc
	__ de commande	bon, formule de commande
	__ de mémoire	trou de mémoire, absence
	__ **comme un drap** / as white as a sheet	blanc comme un linge
	éléphant __ / white elephant	cadeau plutôt coûteux et inutile, acquisition superflue
➤ blancmange	**blancmange**	blanc-manger
➤ blank	**blank character** (informatique)	caractère blanc
➤ bleacher	assister au match dans les **bleachers**	gradins
➤ blender	**blender** (appareil électroménager)	mélangeur
▼ bleus	**avoir les bleus** / to have the blues	avoir des idées noires, broyer du noir, avoir le cafard, se sentir déprimé
➤ blind	un **blind** contre le soleil	store
▼ bloc	**bloc à appartements** / apartment block	immeuble d'habitation, immeuble résidentiel
	c'est à trois __ d'ici	rues
	__ de 15 étages	immeuble
	faire le tour du __	quadrilatère, pâté de maisons

	exemples de formes et d'emplois fautifs	formes correctes
▼ bloc	jeu de __	cubes
➤ block heater	**block heater** (pour démarrage par temps froid)	chauffe-moteur
➤ blood	on dit que tu es **blood**	chic, généreux, généreuse
➤ blowout	**blowout** à un pneu	éclatement d'un pneu
▲ Blvd.	**Blvd.** (Boulevard)	boul., b^d (boulevard)
➤ boat	**boat people**	réfugiés de la mer
➤ bobby	**bobby pin**	pince à cheveux
➤ body	un **body** (lingerie)	justaucorps, maillot de gymnastique
	le __ (auto)	carrosserie
	un atelier qui fait du __	de la tôlerie
	__ **shop**	atelier de carrosserie
➤ body check	**body check** (sport)	blocage
➤ boiler	**boiler** (chauffage central)	chaudière
▼ bois	**bois de pulpe** / pulpwood	bois à pâte, de papeterie
	on obtient la **pulpe** ou la **pulpe de** __ par des procédés mécaniques et chimiques / woodpulp	pâte à papier, pâte de bois
	ne pas être **sorti du** __ / out of the wood	tiré d'embarras, au bout des difficultés
▼ boîte	**boîte à malle** (anglicisme et archaïsme) / mailbox	boîte aux lettres
	__ **aux témoins** / witness box	barre des témoins
	__ **d'alarme** / alarmbox	avertisseur d'incendie
	__ de camion / truck box	caisse
	__ de scrutin / ballot box	urne
▼ bol	**bol** des toilettes / toilet bowl	cuvette

	exemples de formes et d'emplois fautifs	formes correctes
➤ bolt	**bolt**	boulon
◆ bon	un **bon** 20 minutes / a good 20 minutes	20 bonnes minutes
▼ bon	marchandise, moteur, appareil **en __ ordre** / in order	en bon état
➤ bona fide	acheteur, témoin **bona fide** (au Québec, expression latine prise de l'anglais)	de bonne foi
	contrat __	authentique
	offre d'achat __	sérieuse
▼ bonne	**donnons une bonne main d'applaudissements** / a big hand	applaudissons chaleureusement
▼ bonus	**bonus** avec achat	prime, cadeau
	__ de cherté de vie	indemnité
	__ de fin d'année	gratification
	__ de rendement	prime
➤ booké	je suis **booké** pour toute la soirée / I am booked	occupé
➤ booker	**booker** / to book	engager (chanteuse)
		donner rendez-vous (client)
		inscrire (commande, pari)
		réserver (salle de spectacle)
➤ bookmaker	**bookmaker**	preneur aux livres, preneur de paris
➤ Boolean	**Boolean function** (informatique)	fonction booléenne
➤ boomer	**boomer** un produit / to boom	faire mousser à coups de réclame
	__ une candidate	faire du battage publicitaire pour
➤ boostage	**boostage, boosting** / boosting (auto)	démarrage-secours (survoltage n'est pas un équivalent approprié)

	exemples de formes et d'emplois fautifs	formes correctes
➤ booster	**booster** la batterie / to boost (auto)	mettre les câbles, ranimer la batterie (survolter n'est pas un équivalent approprié)
	___ un produit	faire de la publicité, du battage pour, vanter
➤ boquer	une personne qui **boque** refuse de participer à une activité par mauvaise humeur ou bouderie / bucks at	regimbe, reste en arrière
➤ boss	**boss**	patron, patronne
➤ bosser	il cherche toujours à **bosser** / to boss	commander, jouer au patron, donner des ordres
➤ boster	le réservoir, le pneu a **bosté** / burst	a éclaté (objets en métal), a crevé (objets en caoutchouc)
➤ Boston	**Boston steak**	steak Boston
➤ botche	**botche** de cigarette / butt	mégot
➤ botcher	**botcher** un ouvrage / to botch	bâcler, bousiller, gâcher, saboter
➤ bottle	de la moutarde en **squeeze bottle**	contenant souple
▼ bouillant	**être dans l'eau bouillante /** to be in hot water	être dans l'embarras, dans de mauvais draps, dans le pétrin
▲ boulevard	**Blvd.** (Boulevard)	boul., b^d (boulevard)
➤ bouncer	**bouncer**	homme de main, videur
▼ bouteille	**bouteille** (pour bébé) / bottle	biberon
▼ bouton	pousser le **bouton panique** / panic button	sonner l'alarme, donner l'alerte

	exemples de formes et d'emplois fautifs	formes correctes
➤ bowling	**bowling**	jeu de quilles, quilles, salle de quilles
➤ box spring	**box spring**	sommier tapissier
➤ Boxing	**Boxing Day**	l'après-Noël, le lendemain de Noël
➤ brace	**brace** (menuiserie)	jambe de force, contre-fiche
➤ braid	**braid** (couture)	galon, passement, soutache
➤ brainstorming	**brainstorming** (recherche en groupe de nouvelles idées ou de la solution d'un problème)	remue-méninges
➤ braker	**braker** / to brake	freiner, ralentir
➤ branch	**branch instruction, jump instruction** (informatique)	instruction de branchement
▼ branche	notre **branche** de Laval / branch	succursale, division, section, direction, filiale, agence
➤ braquette	**braquette** / bracket (menuiserie)	équerre (de renforcement), potence
	__ de salaire	échelon, ordre de salaire
➤ brass	**brass**	laiton
➤ break	donnez-nous un **break**	laissez-nous un répit, la chance, le temps de souffler
	prendre un __ / to take a break	faire une pause
➤ breakdown	envoyer le **breakdown** du compte (comptabilité)	détail

	exemples de formes et d'emplois fautifs	formes correctes
➤ breakdown	établir le ___ des dépenses entre les divers comptes	répartition, ventilation
➤ breaker	le **breaker** a encore sauté	disjoncteur
▼ bref	**bref** d'élections / writ of election, election brief	décret d'élections, de convocation des électeurs
▼ breuvage	**breuvage** / beverage	boisson (tout liquide qui se boit)
➤ briefer	**briefer** qqn / to brief sb	donner des instructions, des recommandations à
➤ briefing	**briefing**	instructions, exposé, synthèse, séance d'information, séance de contrôle
➤ bright	ils ne sont pas assez **bright** pour ça	intelligents, fins, subtils
	c'est ___	brillant, génial
▼ brique	**brique à feu** / fire brick	brique réfractaire
▼ bris	**bris de contrat** / breach of contract	rupture, non-exécution, violation de contrat
▼ briser	**briser** la loi / to break the law	enfreindre
	___ sa promesse / to break a promise	manquer à sa promesse, ne pas respecter sa promesse
	___ un record / to break a record	battre, améliorer
➤ broiled	**broiled steak**	steak grillé, steak sur le gril
	charcoal ___ steak	steak grillé sur charbon de bois, steak sur barbecue
➤ broker	**broker** (assurances, valeurs mobilières)	courtier
➤ browsing	**browsing** (informatique)	survol

	exemples de formes et d'emplois fautifs	formes correctes
▼ brûler	une ampoule **brûlée** / burnt off	grillée
	__ sa santé, ses forces / to burn	ruiner, épuiser
▼ brûleur	**brûleur** de lampe / burner	bec
▼ budget	voyager **sur le budget** de l'entreprise / on the company's budget	aux frais
➤ buffer	**buffer, buffer memory, buffer storage** (informatique)	mémoire tampon, tampon
➤ bug	**bug** (informatique)	bogue, erreur
➤ bulldozer	**bulldozer**	bouteur
➤ bum	tout s'en va sur la **bum** / on the bum	à la dérive, au diable, tout est sens dessus dessous
	ce sont des __	voyous, fainéants
➤ bummer	**bummer** plutôt que travailler / to bum	mendier, vagabonder
	__ des cigarettes, de l'argent	quêter, emprunter
➤ bump	**bump** (route)	bosse
➤ bumper	**bumper** (auto)	pare-chocs
	bumper une employée de moindre ancienneté / to bump	prendre le poste de, la place de, évincer, déloger
➤ bumping	le **bumping** dans les entreprises (relations du travail)	supplantation, évincement
➤ bun	**bun** ou **buns**	brioche
➤ bunch	**bunch**	botte (radis, asperges, carottes)
		liasse (billets de banque)
		groupe (amis)
➤ bunker	**bunker** (golf)	trappe de sable

	exemples de formes et d'emplois fautifs	formes correctes
➤ bunt	le joueur frappe un **bunt** (baseball)	fait un amorti, un coup retenu
▼ bureau	**bureau des directeurs, des gouverneurs /** Board of Directors, of Governors	conseil d'administration
	espace de __ à louer / office space to let	local pour bureau à louer, bureau à louer
▼ bureau-chef	**bureau-chef** / head office	siège social, direction
➤ burnout	**burnout**	épuisement professionnel
➤ bus	**bus**	autobus (masc.)
➤ busboy	**busboy** (restauration)	aide-serveur
➤ business	se mêler de ses **business**	affaires
	être dans **la __**	les affaires
	partir une __	fonder un commerce, une entreprise, une affaire
	show __	industrie du spectacle
➤ busybody	un **busybody** s'occupe de mille affaires	touche-à-tout, hyperactif
➤ buzzer	**buzzer**	avertisseur, vibreur sonore, ronfleur
➤ byte	**byte** (informatique)	octet, multiplet

C

	exemples de formes et d'emplois fautifs	formes correctes
▼ c'est	**c'est** Paul Fortin **qui parle** / this is Paul Fortin speaking	Paul Fortin à l'appareil, ici Paul Fortin
	c'était mon plaisir / it was my pleasure (formule qui suit un remerciement)	le plaisir est, était pour moi, tout le plaisir a été pour moi
◆ c'est	**c'est** 20 °C, en ce moment / it is 20° now	il fait
➤ cachou	**cachou** / cashew	noix de cajou, cajou
➤ caddie	**caddie** (golf)	ramasseur de balles, porteur de bâtons
▼ calculer	nous **calculons** rentrer lundi / we calculate	projetons de, comptons
	je — que c'est un coup monté / calculate	je crois, j'estime
■ caleçon	**caleçons** / drawers	caleçon
▼ calendrier	**année du calendrier** / calendar year	année civile
➤ call	répondre à un **call**	demande, commande, appel
	être sur un —	être en service, être allé à une demande, à un appel
	last — (bar)	dernière commande, dernier service
➤ call down	on a eu droit à un **call down**	savon, engueulade, réprimande

	exemples de formes et d'emplois fautifs	formes correctes
➤ caller	**caller** un taxi / to call	appeler
➤ caméo	faire un **caméo** / cameo (télévision et cinéma)	apparition éclair, participation éclair
▼ caméra	prêter sa **caméra** / camera	appareil-photo, appareil photographique (mais : caméra s'il s'agit de cinéma, de télévision)
➤ caméraman	**caméraman** / cameraman (télévision et cinéma)	cadreur, cadreuse
▼ camp	**camp d'été** / summer camp	chalet, maison de campagne d'été, colonie de vacances (pour enfants) (mais : camp de réfugiés, feu de camp, changer de camp)
◆ campagne	vivre **en campagne** / to live in the country	à la campagne
➤ camper	**camper** (véhicule)	autocaravane, caravane
◆ canadien	l'ambassadeur **canadien** à Paris / Canadian ambassador	l'ambassadeur du Canada (ou encore le président de la France et non le président français)
➤ canceller	**canceller** / to cancel	annuler (commande, réservation, réunion)
		contremander (ordre)
		décommander (taxi)
		résilier, dénoncer (contrat)
		révoquer (acte juridique)
➤ canisse	**canisse** / canister	bidon (lait, sirop d'érable, peinture)
➤ cannage	**cannage** / canning	mise en conserve
	cannages / canned food	boîtes de conserve, conserves

	exemples de formes et d'emplois fautifs	formes correctes
➤ canne	**canne** / can	boîte
	___ de conserve	boîte de conserve
	___ de bière	canette, cannette
	___ de peinture	bidon
	légumes, fruits en ___	en conserve
➤ canner	**canner** / to can	mettre en conserve, faire des conserves
● cantaloup	**cantaloup**	cantaloup (la syllabe finale se prononce « lou »)
➤ cap	**cap**	
	___ de soulier de travail	embout (d'acier)
	___ de bouteille	capsule, bouchon
	___ de roue d'automobile	enjoliveur, chapeau
▼ capacité	**au meilleur de ses capacités** / to the best of one's ability	de son mieux, dans la pleine mesure de ses moyens
	en ma ___ de présidente / capacity	qualité, en tant que
	moteur lancé à **pleine** ___ / at full capacity	à plein rendement
	la salle était **remplie à** ___ / filled to capacity	pleine, comble, bondée
➤ capita	**per capita**	par habitant, par tête
▼ capitaine	**capitaine** d'avion	commandant
▼ capital	**se faire du capital politique** / to make capital of a political situation	favoriser ses intérêts politiques, exploiter à des fins politiques, se gagner des faveurs, des avantages politiques

	exemples de formes et d'emplois fautifs	formes correctes
▼ capital	**dépenses __** / capital expenditure (d'une entreprise)	frais d'équipement, dépenses en immobilisations, immobilisations
▼ capitaliser	**capitaliser sur** l'expérience / to capitalize on	mettre à profit, exploiter, tirer parti de, tirer profit de
➤ car	faire partie d'un **car pool**	faire du covoiturage, faire partie d'un groupe de covoiturage
	__ wash	lave-auto
▼ caractère	les différents **caractères** de la pièce de Tremblay / characters	personnages
➤ carjacking	le **carjacking** consiste à prendre de force un véhicule, le conducteur étant au volant	piraterie routière
➤ carport	**carport**	abri d'auto
➤ carriage	**carriage return, cursor return** (informatique)	retour à la marge, à la ligne, retour-marge
▼ carte	**carte d'affaires** / business card	carte de visite, carte professionnelle
	__ de temps / time card	fiche, feuille de présence
	table à __ / card table	table de jeu, à jouer
➤ carton	**carton** ou **cartoon** de cigarettes / carton	cartouche (fém.)
	carton d'allumettes	carnet
	__ de boisson gazeuse	panier, caissette
➤ cartoon	**cartoon**	dessin animé
▼ cas	**histoire de __** / case history	étude intégrale des antécédents médicaux, du dossier médical, de l'évolution d'une maladie

	exemples de formes et d'emplois fautifs	formes correctes
➤ caseload	se consacrer à son **caseload**	ses cas, dossiers
➤ cash	acheter, payer, vendre qqch **cash**	comptant
	aller payer au __	à la caisse
	avoir du, manquer de __	liquide
	__ **flow**	marge brute d'autofinancement, marge d'autofinancement, mouvement de trésorerie, mouvement de caisse
	__ **over** (comptabilité)	excédent de caisse
	__ **shortage** (comptabilité)	déficit de caisse
➤ cashew	**cashew**	noix de cajou, cajou
▼ cassé	pas de sortie, je suis **cassé** comme un clou / broke	à sec, fauché
▼ casser	**casser** / to break	
	__ le français	écorcher
	__ le plaisir, la soirée	gâcher
	__ sa promesse	rompre
	__ un bail, un contrat	résilier
	__ un billet de cinq	faire la monnaie de
	__ une automobile	roder
	__ **égal** / to break even (comptabilité)	ne faire ni profit ni perte, rentrer simplement dans ses fonds
➤ casting	**casting** d'une pièce de théâtre, d'un film	distribution
➤ catcher	**catcher** une balle ou tout objet lancé / to catch	attraper
	__ une pointe ou une blague	saisir, comprendre, piger
	catcher (baseball)	receveur

	exemples de formes et d'emplois fautifs	formes correctes
➤ caucus	tenir un **caucus** avant la séance d'étude	réunion préparatoire, stratégique
➤ c.b.	**c.b.** / citizen band	poste bande publique, bande publique, poste BP, BP
➤ CD	**CD** (compact disk)	disque compact, DC
➤ CD-ROM	**CD-ROM, compact disk read-only memory** (informatique)	disque optique compact, DOC
▼ ceci	**ceci** est pour vous informer / this is to inform you	la présente a pour but de, nous voulons maintenant vous informer
	l'entreprise a fait une offre, __ est un fait capital / this	cela (ceci se rapporte à une chose qu'on va énoncer, cela à une chose déjà énoncée)
▼ cédez	le panneau routier indique : **cédez** / yield	priorité à gauche, priorité à droite
➤ cédule	**cédule** / schedule	calendrier (sport)
		plan, échéancier (travail)
		horaire (emploi du temps de la journée)
		programme (activités)
➤ céduler	**céduler** / to schedule	faire le programme de, programmer, établir l'horaire, le calendrier de, placer au programme, fixer, préparer l'emploi du temps
	être __ à 3 heures	de service à

	exemples de formes et d'emplois fautifs	formes correctes
➤ céduler	tout est __ pour des groupes / scheduled	réservé, retenu, réparti entre
	visite __ pour 10 heures	prévue, fixée à
● cent	**cents**	cents (se prononce « sen't » et non « sen'ts », même au pluriel)
▼ certificat	**certificat** de naissance, de baptême / birth, baptism certificate	acte de naissance, extrait de naissance, de baptême
▼ certifié	copie **certifiée** / certified copy	authentique
▼ chacun	**tous et chacun** doivent participer / all and everyone	il faudrait que tout le monde participe
➤ chain saw	**chain saw**	tronçonneuse, scie à chaîne
➤ chairlift	**chairlift**	télésiège monoplace, biplace
➤ chalac	**chalac** / shellac	vernis de laque (fém.)
➤ challenge	la médecine doit relever de nombreux **challenges** afin de vaincre le sida	défis
▼ chambre	**chambre** 305 de cet immeuble / room, suite	bureau, salle
	__ **de bain** / bathroom	salle de bain (ou de bains)
	__ **des joueurs** / players' room	vestiaire
	__ **des maîtres** / master bedroom	chambre principale
	Chambre des communes / House of Commons	Chambre des députés
➤ chambreur	**chambreur** / roomer	locataire
▼ chance	avoir une **chance** / to have a chance	possibilité, occasion
	par pure __ / by mere chance	par hasard

	exemples de formes et d'emplois fautifs	formes correctes
▼ chance	**prendre des __** / to take chances	courir des risques, prendre des risques (mais : tenter ou courir sa chance au jeu)
▼ chanceux	être **chanceux** / to be lucky	avoir de la chance
	une découverte **__** / a chance discovery	fortuite, accidentelle
▼ change	on a besoin de **change** pour les machines distributrices	monnaie
▼ changement	**changement d'huile et lubrification /** oil change and lubrication (auto)	vidange et graissage
▼ changer	**changer** l'huile / to change	vidanger
	__ un chèque	toucher, encaisser
▼ chanson	on a eu ça pour une **chanson** / for a song	bouchée de pain
▼ chapeau	**parler à travers son chapeau** / to talk through one's hat	parler sans connaissance de cause, parler à tort et à travers
	passer le __ / to pass the hat	faire une collecte
▼ chapitre	le **chapitre** de Montréal de l'association / chapter	section
▼ chaque	ceci coûte 20 $ **chaque** / each	chacun
▼ char	conduire son **char** / car	auto, automobile, voiture
➤ character	**additional character** (informatique)	caractère spécial
	blank __ (informatique)	caractère blanc
	control __ (informatique)	caractère de commande
➤ charcoal	couleur **charcoal**	gris foncé, gris anthracite
	steak au **__**	au charbon de bois
	__ broiled steak	steak grillé sur charbon de bois, steak sur barbecue

	exemples de formes et d'emplois fautifs	formes correctes
▼ charge	il y a une **charge** de 10 $ pour ce service	des frais
	la — de l'avocat / attorney's charge	réquisitoire
	la — du juge / judge's charge	exposé
	— **extra** / extra charge	supplément, frais supplémentaires
	appel à — **renversée** / reversed charge	à frais virés
	il a deux — contre lui	chefs d'accusation
	— **postales** / postal charges	frais de port
	être **en** — de qqch / to be in charge of	être responsable de, avoir la responsabilité de, être chargé de, avoir la charge de
	personne en — / the person in charge	le ou la responsable
	prendre — de qqn ou de qqch / to take charge of	prendre qqn ou qqch en charge ou à sa charge, se charger de
	sans — **additionnelles** / no extra charge	tout compris, tous frais compris, net
	toutes les — **sont incluses** / all charges are included	tous frais compris
➤ charge	**cover charge** (boîtes de nuit)	prix d'entrée, frais d'entrée, consommation minimale
▼ charger	**charger** des prix fous / to charge	demander
	— des frais de poste	demander, réclamer, exiger
	— tant de l'heure	demander, prendre
	— le temps	facturer, compter

	exemples de formes et d'emplois fautifs	formes correctes
▼ charger	— le montant d'un achat	porter, débiter au compte
	— **sur** le compte des frais de déplacement	mettre au, imputer au, porter au
	combien —-vous?	combien demandez-vous?, quel est le prix?, le prix?, combien ça coûte?
	pour payer ou —?	comptant ou crédit?, comptant ou au compte?
▼ charrue	**charrue à neige** / snowplow	déneigeuse, chasse-neige
➤ charter	**charter**	avion nolisé
▼ chat	**le chat est sorti du sac** / the cat is out of the bag	le secret est découvert, s'est ébruité, on a éventé la mèche, on a découvert le pot aux roses
▼ chaud	on les laisse se débrouiller avec **la patate chaude** / hot potato	ce problème épineux, cette affaire embarrassante
▼ chauffage	**huile à chauffage** / heating oil	mazout
➤ cheap	une petite robe **cheap**, c'est **fait** —	bon marché, pas cher, de mauvaise qualité
	c'est trop — pour une maison de gouverneur général	ordinaire, commun
	c'est — comme contribution	parcimonieux, chiche, mesquin
	avoir une mentalité —	petite, étroite
	il est —	avare, pingre, radin

	exemples de formes et d'emplois fautifs	formes correctes
➤ cheap	un produit __ ne dure pas	de basse qualité, de pacotille
	__ labor	main-d'œuvre bon marché
	acheter séparément n'est pas **plus** __ / cheaper	meilleur marché, moins cher
▲ check	faire un **check** / check, cheque	chèque
➤ checké	être **checké** / to be checked	tiré à quatre épingles, sur son trente et un, trente-six (au Québec)
➤ checker	**checker** / to check	bloquer (joueuse du camp adverse)
		consigner, mettre à la, en consigne dans une gare (bagages)
		enregistrer au comptoir de la compagnie aérienne (bagages)
		marquer, cocher, pointer (articles d'une liste, d'un compte)
		mettre au vestiaire (manteau et bottes)
		pointer (entrées au bureau, à l'usine)
		surveiller, observer, guetter, avoir l'œil (sur qqn, qqch)
		vérifier, inspecter (facture, calcul, renseignement, bon état d'un ouvrage)
➤ check-in	**faire le check-in** / to check in (hôtel, comptoir d'une compagnie aérienne)	signer à l'arrivée, s'inscrire, se présenter à l'enregistrement

	exemples de formes et d'emplois fautifs	formes correctes
➤ checklist	**checklist**	liste de contrôle, de vérification
➤ check-out	**faire le check-out** / to check out (hôtel)	signer à la sortie, régler, quitter la chambre
➤ checkup	**checkup**	bilan de santé, examen périodique de contrôle, examen médical complet, inspection, contrôle, vérification (sur une voiture)
➤ cheese	**grilled cheese**	sandwich fondant au fromage
▼ chemin	elle se trouve toujours **dans** mon **chemin** / in my way	je l'ai toujours dans les jambes, elle me gêne constamment
➤ cheque	**traveller's cheque**	chèque de voyage
▼ chèque	chèque de **voyageur** / traveller's cheque	chèque de voyage
	blanc de __ / blank	formule de chèque, chèque en blanc
● chèque	**chèque** / cheque, check	chèque (se prononce « chèque » et non « tchèque »)
▼ cher	**Cher monsieur** / Dear Sir (formule d'appel d'une lettre)	Monsieur, (virgule)
	Chère madame Brodeur / Dear Mrs. Brodeur (formule d'appel d'une lettre)	Madame, (virgule)
➤ chesterfield	**chesterfield**	canapé
▼ chez	couvercles pour conserves **chez soi** / home canning caps	conserves faites à la maison
➤ chicken	**hot chicken sandwich**	sandwich chaud au poulet
➤ chiffre	être **sur le chiffre, le shift** de nuit / shift	du quart de nuit, de l'équipe de nuit, avec l'équipe de nuit
	travailler **sur les** __ ou **shifts** / shifts	par roulement, par équipe, en rotation

	exemples de formes et d'emplois fautifs	formes correctes
➤ chinatown	aller manger dans le **chinatown**	quartier chinois
➤ chip	**chip** (informatique)	microplaquette, puce
	sac de **chips**	croustilles
▼ choc	**choc** électrique / electric shock	décharge électrique, décharge
➤ choke	**choke** (auto)	volet d'admission de l'air dans le carburateur
➤ chop	**chop** de porc, de veau, d'agneau	côtelette
➤ chopper	**chopper** de la viande / to chop	hacher
▼ choqué	le Premier ministre a été **choqué** par l'annonce de l'attentat contre les Casques bleus / was shocked	stupéfait, consterné
▼ chose	**pour une chose**, ils n'ont pas montré d'intérêt, puis ils voulaient des personnes d'expérience / for one thing	tout d'abord, entre autres raisons, facteurs
➤ chowder	**chowder** de poisson	soupe, chaudrée
	clam —	chaudrée de myes
➤ chum	**chum**	ami, amie, copain, copine, camarade
▼ chute	**chute** d'ordures ménagères	descente
▼ ci-attaché	le document **ci-attaché** / the attached document	ci-joint, ci-annexé
▼ ciné-caméra	**ciné-caméra**	caméra
▼ cinquante-cinquante	**cinquante-cinquante** / fifty-fifty	partager moitié l'un, moitié l'autre, à part égales, moitié-moitié
➤ circa	**circa** 1910	environ, autour de

	exemples de formes et d'emplois fautifs	formes correctes
▼ circulation	journal à **grosse circulation** / large circulation	à grand tirage, à fort tirage
▼ cire	**cire** à skis / ski wax	fart
▼ cirer	**cirer** ses skis / to wax one's skis	farter
▼ civique	centre **civique** / civic center	municipal
▼ clair	gagner 500 $ **clair** par semaine / $500 clear per week	net
	bénéfice __ / clear benefit	bénéfice net
	bien __ d'hypothèque	franc, libre d'hypothèque
	objet __	transparent
➤ clairer	**clairer** / to clear	acquitter des droits de douane (marchandises)
		acquitter (dettes)
		congédier, remercier (employé)
		dégager, déblayer (route)
		débarrasser (table, bureau)
		disculper, reconnaître non coupable, décharger (un accusé)
		écouler (marchandise)
		faire (bénéfice net)
		s'éclaicir (temps)
		se libérer (obligation)
➤ clam	**clam**	coquillage
	__ **chowder**	chaudrée de myes
➤ clapboard	**clapboard**	planche à clin (planche à lambris), bardeau (planche à couverture)

	exemples de formes et d'emplois fautifs	formes correctes
➤ class	**master class** (musique)	cours, atelier de maître, cours de virtuose, atelier d'interprétation musicale
▼ classe	tissu de première **classe**	de première qualité
▼ classification	être dans la **classification** des techniciens	classe
▼ clé	**clés** d'un clavier / keys	touches
➤ cleaner	**cleaner**	produit d'entretien, détachant
➤ cleanup	**cleanup**	nettoyage, grand ménage
➤ clearance	**clearance** : 7 mètres (affiche à l'entrée d'un pont, d'un tunnel)	espace libre, gabarit, dégagement
➤ clearing	envoyer un chèque au **clearing**	à la compensation
▼ clérical	travail, personnel **clérical**	de bureau, administratif (en français, clérical ne s'emploie qu'en fonction du clergé)
	erreur ▬	de transcription, d'écriture, d'écritures (comptabilité)
➤ climax	**climax**	point culminant, paroxysme
▼ clinique	**clinique** de hockey / clinic	école, stage
	▬ de vaccination	séance
	▬ sur le jardinage	démonstration de, conférence pratique sur le, cours pratique de
	▬ **de donneurs de sang** / blood donor clinic	collecte de sang
	▬ **externe** d'un hôpital / outpatient clinic	consultations externes
	▬ **médicale** d'une entreprise / medical clinic	infirmerie, dispensaire

	exemples de formes et d'emplois fautifs	formes correctes
➤ clip	**clip**	agrafe, serre-feuilles, pince-notes, pince-feuilles, attache métallique, trombone (bureau)
		pince, serre, attache, patte d'attache, griffe, collier, étrier de serrage, pince d'arrêt (industrie)
➤ cliper	**cliper** / to clip	tondre (pelouse, animal)
▼ cliquer	ça **clique** entre nous deux / it clicks	nous avons des atomes crochus
▼ cloche	**cloche** d'une résidence / bell	sonnette
	— pour annoncer le changement de cours	timbre
➤ close-up	**close-up** (cinématographie)	gros plan
▼ clôture	**rester sur la clôture** / to sit on the fence	ne pas prendre position, réserver son opinion, rester neutre
➤ club	**club sandwich**	sandwich club
	— **steak**	côte d'aloyau
	clubs et irons (golf)	bâtons et fers
▼ club	**club** de nuit / nightclub	boîte de nuit
	clubs d'expansion / expansion teams (nés de l'élargissement des ligues sportives)	équipes recrues, nouvellement fondées
➤ club-ferme	**club-ferme** / farm team (hockey)	équipe-école, équipe d'aspirants, équipe-pépinière

	exemples de formes et d'emplois fautifs	formes correctes
➤ clubhouse	**clubhouse** (golf)	chalet, pavillon
➤ clutch	**clutch** (auto)	pédale d'embrayage, embrayage
➤ coach	**coach** (sport)	entraîneur
➤ coacher	**coacher** / to coach	entraîner (équipe)
➤ coaching	**coaching**	cours préparatoire (formation théorique), assistance professionnelle (stage pratique)
➤ coat	**coat**	manteau, blouson, veste, anorak
	—à queue / tail coat	tenue de gala, costume de cérémonie, habit
➤ coaxer	**coaxer** / to coax	inciter, prier
➤ cockpit	**cockpit**	cabine, poste de pilotage (avion)
➤ coconut	**coconut**	noix de coco, coco
➤ c.o.d.	**c.o.d.** (cash on delivery, collect on delivery)	envoyer, expédier qqch contre remboursement
➤ code	**bar code** (informatique)	code à barres
	— element (informatique)	codet
	transcoding, — conversion (informatique)	transcodage, conversion de code
▼ code	**code** régional / regional code	indicatif
	Code criminel / criminal code	Code pénal
➤ coder-decoder	**coder-decoder** (informatique)	codeur-décodeur

	exemples de formes et d'emplois fautifs	formes correctes
➤ coffee break	**coffee break**	pause-café, pause-santé (dans les congrès)
▼ coffre	**coffre, compartiment à gants /** glove compartment (auto)	vide-poches, boîte à gants
➤ coin-wash	**coin-wash**	laverie automatique, laverie
➤ coke	**coke** (abréviation de l'anglais cocaine)	cocaïne
➤ cold	**cold start, cold restart** (informatique)	démarrage à froid, redémarrage à froid, reprise totale, reprise à froid
➤ coleslaw	**coleslaw**	salade de chou
▼ collatéral	agir à titre de **collatéral** / collateral	garant
	garantie ⎯ / collateral security	sûreté supplémentaire, accessoire
▼ collecter	**collecter** / to collect	collectionner (contraventions)
		encaisser (chèque, effet de commerce)
		percevoir, récupérer, recouvrer, faire rentrer, encaisser (créance)
▼ collectif	**contrat collectif** / collective contract	convention collective
➤ colomniste	elle est une excellente **colomniste** du journal / columnist	chroniqueuse, collaboratrice attitrée
➤ color	**color display** (informatique)	affichage couleur
➤ colour-blind	**colour-blind**	daltonien
▼ combat	**combat à finir** / fight to the finish	combat à outrance
▼ combien	**combien loin** est-ce? / how far is it?	à quelle distance est-ce?, est-ce loin?

	exemples de formes et d'emplois fautifs	formes correctes
➤ comeback	recevoir des **comebacks** au sujet du nouveau procédé	commentaires défavorables, protestations, plaintes
	avoir un — de ses collègues	réaction, réponse
▲ comfort	**comfort**	confort
▲ comfortable	**comfortable**	confortable
➤ comforter	**comforter**	édredon
➤ comic	**stand-up comic**	humoriste, fantaisiste seul en scène ou devant la caméra
▼ comique	ne lire que des **comiques** / comics	bandes dessinées
▼ comité	**comité conjoint** / joint committee (représentant patrons et salariés)	comité mixte
	— **exécutif** d'un syndicat / executive committee	comité directeur
▼ commande	**blanc** de commande / blank	bon de commande, formule de commande
▼ comme	**avec comme, avec pour résultat** que / with the result that	de sorte que, de telle sorte que, en conséquence
◆ comme	les délégués ont rejeté — **étant** inacceptables les propositions de l'assemblée / as being unacceptable	comme inacceptables (il suffit de supprimer étant)
	le parti a choisi une femme — **leur** chef national / as their national leader	comme chef national
	ils entrevoient — **une** solution intermédiaire de fusionner les deux organismes / they consider as an intermediate solution	ils entrevoient comme solution intermédiaire
	l'équipe a — **une de** ses tâches principales... / as one of its main assignments...	parmi

	exemples de formes et d'emplois fautifs	formes correctes
◆ commençant	**commençant** le 1er juillet, il y aura une série de conférences... / beginning July 1st, there will be	une série de conférences, commençant le 1er juillet, sera donnée, à partir du 1er juillet, il y aura, à compter du 1er juillet, il y aura (un participe, présent ou passé, placé en début de phrase, doit se rapporter au sujet du verbe de la proposition principale)
◆ commenter	**commenter sur** l'attitude du président / to comment on	commenter l'attitude, faire des commentaires sur l'attitude
▼ commercial	créer un **commercial** pour la télévision	annonce publicitaire, réclame
▼ commettre	notre député n'a pas voulu **se commettre** au sujet de la loi 101 / to commit himself	s'engager, prendre position (mais se commettre : compromettre sa dignité, son caractère, ses intérêts)
▼ commission	**commission royale** d'enquête / Royal Commission of Inquiry	commission officielle d'enquête, commission d'enquête
▼ commun	**époux, épouse de droit commun** / common law spouse	compagnon, compagne de fait, conjoint, conjointe de fait
➤ compact	**compact disk**	disque compact, DC
	CD-ROM, __ disk read-only memory (informatique)	disque optique compact, DOC
➤ compaction	**compaction** (informatique)	tassement
▼ compagnie	**compagnie de finance** / finance company	société de crédit, de financement, de prêts

	exemples de formes et d'emplois fautifs	formes correctes
◆ comparé	**comparé** à l'année dernière, nous avons fait de bonnes affaires / compared with last year	comparativement, à comparer à, comparées à l'année dernière, nos affaires ont été bonnes (un participe, présent ou passé, placé en début de phrase, doit se rapporter au sujet du verbe de la proposition principale)
▼ compartiment	**coffre, compartiment à gants** / glove compartment (auto)	vide-poches, boîte à gants
▼ compensation	**compensation** des accidents du travail / workers' compensation	indemnisation, dédommagement
▼ compenser	**compenser** les producteurs **pour** leurs pertes / to compensate the producers for their losses	compenser les pertes des producteurs, dédommager, indemniser les producteurs de leurs pertes
▼ compétition	les marchés grande surface font **compétition** aux petits marchés / competition	concurrence
➤ compétitionner	**compétitionner** le marché / to compete	concurrencer
	les athlètes vont __ aujourd'hui	concourir
➤ compiler	**compiler** (informatique)	compilateur, programme de compilation
➤ complémenter	**complémenter** un ensemble d'avantages sociaux / to complement	servir de complément à, compléter
▼ compléter	**compléter** / to complete	
	__ une formule	remplir (on ne complète que ce qui était resté incomplet)
	__ un mandat, un travail	effectuer
	__ un rapport	achever, terminer, finir, mettre la touche finale à
	__ des études universitaires	faire

	exemples de formes et d'emplois fautifs	formes correctes
▼ compléter	—un lancer au premier but (sport)	effectuer
	des travaux qui seront —en deux ans / will be completed	exécutés, menés à terme, menés à bien, réalisés, parachevés
■ complétion	**complétion** d'un dossier / completion	achèvement
▼ compliment	**Compliments, Souhaits de la saison** / Compliments of the Season, Season greetings	nos meilleurs souhaits, Joyeuses fêtes, nos vœux de bonne et heureuse année
	payer un beau __ / to pay a compliment	faire un compliment, complimenter, féliciter, rendre hommage
➤ complimentaire	**complimentaire** / complimentary	de faveur (billet), exemplaire en hommage (livre)
➤ compound	**compound**	pâte à polir (servant à enlever des taches d'une carrosserie, à polir des pare-chocs et des surfaces du genre), pâte abrasive (servant à dérouiller le fer et l'acier)
▼ compréhensif	une assurance **compréhensive** / comprehensive insurance	globale, combinée, tous risques (dans le cas d'une assurance automobile), multiple, multirisque
▼ comprendre	je **comprends** que vous vous intéressez à notre nouveau produit / I understand that	je crois savoir, j'ai appris que, il paraît que
▼ compressé	de l'air **compressé** / compressed air	comprimé
▼ comptant	**valeur au comptant** / cash surrender value (d'une police d'assurance)	valeur de rachat

	exemples de formes et d'emplois fautifs	formes correctes
▼ compte	**compte payable, comptes payables** / account payable, accounts payable	compte fournisseur, comptes fournisseurs (les deux expressions s'appliquent aux comptes eux-mêmes et au poste du bilan qui les regroupe)
	__ recevable, comptes recevables / account receivable, accounts receivable	compte client, comptes clients (les deux expressions s'appliquent aux comptes eux-mêmes et au poste du bilan qui les regroupe)
	état de __ / state of account	relevé de compte
	prendre en __ / to take into account	tenir compte de qqch, avoir égard à qqch
▼ compulsif	une habitude **compulsive**	invétérée, incorrigible
➤ computer	**computer** (informatique)	ordinateur
	__ crime (informatique)	délit informatique
	__ language, machine language (informatique)	langage machine
	__ network (informatique)	réseau d'ordinateurs
	PC, personal __ (informatique)	ordinateur personnel, OP, ordinateur individuel
	desk top __ (informatique)	ordinateur de bureau
◆ concernant	**concernant** ce que vous m'avez dit, je peux... / concerning what you told me, I can...	au sujet de ce que vous m'avez dit
▼ concerné	**à tous les concernés** / to all concerned	à tous les intéressés
	en autant que je suis __ / as far as, insofar as I am concerned	en ce qui me concerne, quant à moi, pour ma part, à mon avis
	être __ dans la politique / to be concerned in	prendre part à, être intéressé à

	exemples de formes et d'emplois fautifs	formes correctes
▼ concerné	**être __** par les décisions de l'administration / to be concerned by	être inquiet de, préoccupé par
▼ condition	un appareil en bonne ou en mauvaise **condition** / good or bad condition	état (mais : une bonne ou une mauvaise condition physique)
	conditions de contrat / conditions of contract	cahier des charges
	termes et __ (contrat, accord, marché, opérations commerciales) / terms and conditions	conditions, dispositions, clauses, stipulations, modalités
	termes et __ (émission de titres)	modalités
▼ conditionné	**appareil à air conditionné** / air conditioner	climatiseur, conditionneur d'air (mais : une salle à air conditionné)
► condominium	**condominium**	copropriété (studio, logement, bureau)
▼ conduire	**conduire** / to conduct	diriger (orchestre, opérations)
		effectuer (expérience, recherches)
		gérer (affaires)
		faire, mener (enquête)
▼ conférence	**conférence** Prince-de-Galles / conference (hockey)	association
	donner une **__ de nouvelles** / news conference	conférence de presse
▼ conférencier	**conférencier invité** / guest lecturer	conférencier
▼ confesser	**confesser jugement** / to confess judgment	reconnaître les droits du demandeur, acquiescer, consentir à la demande

CONFIANT

	exemples de formes et d'emplois fautifs	formes correctes
▼ confiant	**être confiant** que / to be confident that	avoir bon espoir que, être persuadé que, ne pas douter que, avoir confiance que
▼ confortable	êtes-vous **confortable** dans ce fauteuil? / are you comfortable?	à l'aise?, bien?, confortablement installé? (les choses peuvent être confortables, non les personnes)
	un fonds de retraite __ / a comfortable retiring pension	suffisant
	un __ sur chaque lit / comforter	édredon
▼ confronter	les défis **qui confrontent** l'industrie / the industry is confronted by	que l'industrie doit affronter, doit relever
▼ congé	**congé statutaire** / statutory holiday	fête légale
▼ conjoint	les deux chefs d'État ont remis à la presse une déclaration **conjointe** / joint statement	commune
	les résidants du quartier ont présenté aux autorités municipales une requête __ / joint petition	collective
	comité __ / joint committee (représentant patrons et salariés)	comité mixte
	plan __ / joint plan (entre deux gouvernements)	programme à frais partagés, programme mixte
▼ connaissance	**au meilleur de ma connaissance** / to the best of my knowledge	pour autant que je sache, à ma connaissance, d'après ce que je sais
➤ connect	**connect time** (informatique)	durée de liaison
▼ connecter	**connecter** le fer à repasser / to connect	brancher (connecter : s'emploie seulement lorsqu'il s'agit de liaison entre deux ou plusieurs systèmes conducteurs)
▲ connection	**connection**	connexion

	exemples de formes et d'emplois fautifs	formes correctes
▼ connection	il a des **connections** dans la politique	relations, influences
▼ conscience	elle avait repris **conscience** à l'arrivée de l'ambulance / regained consciousness	connaissance, ses sens, était revenue à elle
▼ conseil	**conseil de ville** / city council	conseil municipal
	ordre en ＿ / Order in Council	arrêté ministériel (d'un ministère), décret gouvernemental (Conseil des ministres)
▼ conséquence	**avec la conséquence, le résultat** que / with the result that	de sorte que, de telle sorte que, en conséquence
▼ conservateur	des chiffres **conservateurs** / conservative	modérés, prudents
	un choix ＿ de cravates	classique, discret
	une évaluation ＿	prudente, raisonnable, réaliste, minimale
▼ considérant	**considérant** que / considering that	vu, étant donné, attendu
▼ considération	**après considération**, nous avons décidé / after consideration	après réflexion
	le contrat prévoit des ＿ **futures** / future considerations	compensations futures
	pour aucune ＿ / on no consideration	à aucun prix, pour quelque motif que ce soit, pour rien au monde, sous aucun prétexte
▼ consistant	ses agissements ne sont pas **consistants** avec ses propos / consistent with	en harmonie, compatibles

	exemples de formes et d'emplois fautifs	formes correctes
▼ conspiration	être accusé de **conspiration** relativement à un vol / conspiracy	complot
▼ constitution	cela est conforme à la **constitution** de notre association	aux statuts
➤ consumérisme	**consumérisme** / consumerism	protection du consommateur
▼ contacter	**contacter** qqn / to contact sb	entrer en contact avec, en rapport avec
➤ container	**container**	conteneur
▼ contempler	**contempler** le futur / to contemplate	envisager, penser au, songer au, discuter du
◆ content	être **content avec** ses résultats / to be satisfied with	content de
▼ contingence	**fonds de contingence** / contingency fund (gestion d'entreprise)	fonds de prévoyance, fonds pour éventualités
▼ continuité	**continuité** / continuity (télévision)	feuilleton
■ contracter	le fer **contracte** au froid / iron contracts	se contracte
➤ contracter	nous avons **contracté** la maison / contracted	fait construire
➤ contracteur	**contracteur** / contractor	entrepreneur, contractant
▼ contrat	**contrat collectif** / collective contract	convention collective
	bris de __ / breach of contract	rupture, non-exécution, violation de contrat
	conditions de __ / conditions of contract	cahier des charges
	travail à __ / contract work	travail à forfait, travail à l'entreprise
◆ contre	les revendications **contre** Ville de Laval / against Laval City	contre la Ville de Laval, contre Laval
▼ contribuer	**contribuer** 100 $ (l'absence de mot-lien forme l'anglicisme) / to contribute	contribuer pour 100 $ (mais : fournir 100 $)

	exemples de formes et d'emplois fautifs	formes correctes
▼ contributoire	**faute contributoire** / contributory negligence (droit)	négligence de la victime
■ contributoire	régime de retraite **contributoire** / contributory	contributif, à cotisation, par participation
➤ control	**control** (informatique)	commande
	— **character** (informatique)	caractère de commande
	— **unit** (informatique)	unité de commande
	— **key** (informatique)	touche de service
	— **line** (informatique)	ligne de commande
▼ contrôle	**contrôle** des affaires, de la production / control	direction (mais : contrôle, vérification comptable)
	— des naissances / birth control	régulation, limitation
	— du débit d'un liquide / control	réglage
	— **à distance** / remote control	télécommande
	câbles de — / control wires	manœuvre
	établissement sous le — d'un organisme / control	autorité, dépendance
	manette de — / control lever	commande
	les — d'une machine / controls	commandes
	circonstances **au-delà, hors de notre** — / beyond our control	indépendantes de notre volonté, échappant à notre action
	l'incendie est **sous** — / under control	maîtrisé, circonscrit
	tout est **sous** —	se déroule, marche bien, avoir la situation (bien) en main, nous avons vu à tout (mais : avoir le contrôle de soi-même)

	exemples de formes et d'emplois fautifs	formes correctes
◆ contrôler	la justice est le pouvoir le plus important **à être contrôlé** par le gouvernement / being controlled	à être commandé, détenu par, que détient
▼ contrôler	**contrôler** la situation / to control	dominer, maîtriser, avoir bien en main
	__ le marché	dominer, diriger
	__ l'inflation	endiguer, refréner
	__ le budget	gérer, administrer
▼ contrôleur	**contrôleur** / controller (gestion)	directeur financier
◆ controversé	le **controversé** animateur / controversial	l'animateur discuté, prêtant à controverse
▼ convenance	nous vous saurons gré de nous faire parvenir votre réponse à votre **convenance** / at your convenience	dès que cela vous sera possible (convenance : à votre bon plaisir)
▼ convention	**convention**	colloque, congrès
▼ conversion	droit de **conversion** d'une police d'assurance / conversion privilege	droit de transformation
➤ conversion	**transcoding, code conversion** (informatique)	transcodage, conversion de code
➤ converter	**converter** (informatique)	convertisseur
▼ convertible	**convertible** (auto)	décapotable
➤ cool	c'est une personne **cool**	calme, flegmatique
	rester __ / to keep cool	garder son sang-froid
➤ cooler	mettre la viande au **cooler**	congélateur
	__ **à air** / air cooler (industrie)	refroidisseur, appareil réfrigérant
	__ pour pique-niques	glacière

	exemples de formes et d'emplois fautifs	formes correctes
▼ coopération	favoriser la **coopération** entre les pays / cooperation	collaboration
▼ copie	**copie** d'un journal, d'une revue, d'une brochure, d'un livre / copy	exemplaire (mais : une lettre en plusieurs copies)
	vraie — / true copy	copie conforme
➤ coppe	un chaudron en **coppe** / copper	cuivre
➤ copy	**backup, security copy** (informatique)	copie de sauvegarde, de sécurité, de secours
	hard — (informatique)	imprimé, copie sur papier, copie papier
	final — (informatique)	document définitif
▼ coq-l'œil	**coq-l'œil** / cockeyed	bigle
➤ corderoy	**corderoy, corduroy** / corduroy	velours côtelé
➤ corn	**corn flakes**	flocons de maïs
	— **starch**	amidon de maïs
▼ corporation	**corporation à but lucratif**	société commerciale
	les grandes —	sociétés par actions, compagnies
	— **publique**	organisme public, personne morale, corps constitué
▼ correct	répondre **correct** / to answer right	correctement
	facture — / correct invoice	exacte
▲ correspondence	**correspondence**	correspondance
▼ corriger	**corriger** un compte / to correct	redresser
	facture **corrigée** / corrected invoice	rectifiée, rectificative
➤ corrugé	carton **corrugé** / corrugated paper	ondulé
➤ cosméticienne	**cosméticienne** / cosmetician	esthéticienne
▼ cosmétique	comptoir des **cosmétiques** / cosmetics	produits de beauté

	exemples de formes et d'emplois fautifs	formes correctes
▼ cotation	les fournisseurs doivent soumettre leurs **cotations** d'ici le 30 avril / quotations	prix, devis, soumissions
▼ côte	le groupement a recueilli de nouveaux appuis **d'une côte à l'autre** / from coast to coast	d'un océan à l'autre
▼ côté	achat par **mise de côté** / lay aside purchasing	par anticipation
▼ coton	**coton à fromage** / cheesecloth	étamine (usage domestique), gaze (pansement)
	— **absorbant** / absorbent cotton	coton hydrophile
▲ cotton	**cotton**	coton
▼ couler	**couler** des renseignements / to leak information	divulguer, dévoiler, rendre publics
▼ coupable	être **trouvé coupable** d'homicide / to have been found guilty	déclaré, reconnu coupable
▼ coupé	**prix coupé** / cut price	prix réduit
▼ couper	**couper** du personnel / to cut personnel	réduire le personnel, supprimer du personnel
	— les dépenses / to cut expenses	réduire, comprimer, sabrer dans
	— les prix / to cut prices	réduire les prix, offrir des rabais
	pour — court / to cut short	en bref, pour être bref, pour résumer (couper court à qqch : interrompre au plus vite)
▼ couple	une **couple** de semaines / a couple of	environ deux semaines, une semaine ou deux, quelques semaines

	exemples de formes et d'emplois fautifs	formes correctes
➤ coupling	**coupling** d'un tuyau	bague, douille, manchon d'assemblage, manchon, raccord
▼ coupure	**coupures** de budget / budget cuts	réductions budgétaires, compressions budgétaires
	___ de salaires / salary cuts	compressions salariales
	___ de presse / press clippings	coupures de journaux
➤ cour	**cour à scrap** / scrap yard	chantier de ferraille, dépotoir, cimetière d'autos
▼ cour	règlement, arrangement **hors cour** / out of court	à l'amiable
	mépris de ___ / contempt of court	outrage au tribunal, à magistrat, offense aux magistrats
	devoir agir par **ordre de la** ___ / by order of the Court	par autorité de justice, en vertu d'une ordonnance judiciaire, d'un jugement, d'une injonction du tribunal
	___ **à bois** / timber yard	entrepôt, chantier de bois de charpente
	___ **de triage** / marshalling yard	centre, gare de triage
▼ courir	**courir** tel cheval / to run such horse	faire courir, engager dans une course
▼ cours	**prendre un cours** / to take a course	suivre un cours
▼ course	**course sous harnais** / harness race	course attelée
	souliers de ___ / running shoes	chaussures de sport, d'entraînement, baskets, tennis

	exemples de formes et d'emplois fautifs	formes correctes
▼ court	**pour couper court** / to cut short	en bref, pour être bref, pour résumer (couper court à qqch : interrompre au plus vite)
	pour faire l'histoire __ / to make the story short	pour être bref
▼ courtoisie	**courtoisie** de / courtesy of	un hommage de, offert par
	voiture de __ / courtesy car	de service, de prêt
▼ coût	**coûts d'opération** d'une entreprise / operating costs	frais d'exploitation, de fonctionnement
▼ coutellerie	**coutellerie** / cutlery	service de couverts, ménagère
▼ couvert	bien **couvert** d'hypothèque / covered by	grevé
▼ couvrir	**couvrir** un événement, les déplacements de qqn / to cover (journalisme)	relater, suivre
	__ une joueuse (sport)	marquer, talonner, contrer, surveiller
	les sujets qui ne sont pas **couverts** par le rapport / covered by	touchés, que notre rapport ne recouvre pas, auxquels notre rapport ne s'applique pas
➤ cover	**cover charge** (boîtes de nuit)	prix d'entrée, frais d'entrée, consommation minimale
	acoustic __ (informatique)	capot d'insonorisation
➤ cover-up	**cover-up** de transactions douteuses	camouflage
➤ cracker	**crackers** (alimentation)	craquelins
➤ crane	**crane**	grue

	exemples de formes et d'emplois fautifs	formes correctes
➤ crankshaft	**crankshaft** (auto)	vilebrequin, arbre moteur
▼ craque	**craque** dans un mur, dans le sol / crack	fente, fissure, lézarde, crevasse
	__ dans une assiette	fêlure
	lancer des __ / cracks	pointes, piques
➤ crash	**crash, system crash** (informatique)	incident
➤ crate	**crate**	caisse à claire-voie, cageot, emballage, emballage en bois armé, caisse de transport
➤ craté	la commande a été expédiée **cratée** / crated	dans une caisse de bois, emballée en bois armé
➤ cream	**cream puff**	chou à la crème
	__ **soda**	soda à la vanille, soda mousse
▼ crédit	les commentateurs accordent le **crédit** de la victoire à Lemieux / credit	mérite
	__ **aux consommateurs** / consumer credit	crédit à la consommation
	les contenants ne peuvent être retournés **pour** __ / not returnable for credit	contenants non consignés, non repris
	plan de __ / credit plan	contrat de crédit
▼ créditeur	rembourser ses **créditeurs** / creditors	créanciers
▼ créer	**créer** une impression / to create an impression	produire, causer, provoquer
▼ crime	tous les vols ne sont pas des **crimes**	délits
➤ crime	**computer crime** (informatique)	délit informatique

	exemples de formes et d'emplois fautifs	formes correctes
➤ crinque	**crinque** / crank	manivelle
➤ crinquer	**crinquer** un moteur, un mécanisme / to crank	lancer à la manivelle, actionner à la main, remonter
➤ crow bar	**crow bar**	arrache-clou, pied-de-biche
➤ cruise	missile **cruise**	missile de croisière
▼ cube	saucisses coupées en **cubes** / cut in cubes	en rondelles
	__ **de glace** / ice cubes	glaçons
➤ cuff	**cuff** de pantalon	revers
▼ cuiller	cuiller à **table** / tablespoon	à soupe
➤ cup	**cup** de lait	godet, berlingot
▼ curateur	la **curatrice** du musée / curator	conservatrice
▼ cure	la science n'a pas trouvé de **cure** à cette maladie	remède
➤ curriculum	inscription à un **curriculum**	programme d'études, cursus
➤ cursor	**carriage return, cursor return** (informatique)	retour à la marge, à la ligne, retour-marge
➤ curve	**curve** d'une route	courbe, tournant, boucle, lacet, crochet
	__ dans la trajectoire d'une balle ou d'un ballon	courbe, arc, crochet
➤ cute	**cute**	mignon, joli, charmant, sympathique

	exemples de formes et d'emplois fautifs	formes correctes
➤ cutex	**cutex** (marque déposée)	vernis à ongles, vernis
➤ cutter	**cutter**	sécateur (horticulture), cisailles (tôle), pince coupante (fil métallique)
▼ cylindre	**cylindre** d'une arme à feu / cylinder	barillet

	exemples de formes et d'emplois fautifs	formes correctes
▲ dance	**dance**	danse
▼ danger	**danger** (signal routier)	attention
▼ dans	**dans le futur** / in the future	à l'avenir, dans l'avenir
	elle se trouve toujours ___ mon **chemin** / in my way	je l'ai toujours dans les jambes, elle me gêne constamment
	___ **l'opinion** de / in the opinion of	de l'avis de
	la motion, la proposition, l'amendement était ___ **l'ordre** / in order (assemblée délibérante)	dans les règles, recevable, réglementaire
	___ **mon opinion** / in my opinion	selon moi
	répondre ___ **l'affirmative** / to answer in the affirmative	par l'affirmative, affirmativement
	répondre ___ **la négative** / to answer in the negative	par la négative, négativement
◆ dans	être intéressé **dans** qqch / to be interested in	à
	participer ___ le débat, à la décision, à la discussion / to participate in	au débat, à la décision, à la discussion
	la clé est ___ la porte / in the door	sur
	assis ___ la fenêtre / sitting in the window	devant
	être l'une des personnes les plus riches ___ le monde / in the world	au monde, du monde
▼ dard	jeu de **dards** / darts	fléchettes
➤ dash	**dash** (véhicule)	tableau de bord

	exemples de formes et d'emplois fautifs	formes correctes
➤ data	**data** (informatique)	donnée
	__ **bank** (informatique)	banque de données
	__ **file** (informatique)	fichier de données
	office automation, office __ processing (informatique)	bureautique
◆ datation	vendredi, **le** 31 décembre 1999 / Friday, the 31st of December	le vendredi 31 décembre 1999 (sans virgule)
	31 décembre 1999. (en tête d'une lettre, le point à la fin de la date forme l'anglicisme) / December 31,1999.	31 décembre 1999 (sans point)
➤ date	on a une **date** la semaine prochaine	sortie
	être **up to __** (dossiers, documents)	à jour
	être **up to __** (personne)	à la page, à la dernière mode
▼ date	**à date**, nous avons reçu 250 $ / up to date	à ce jour, jusqu'à maintenant
	les intérêts **à __** / to date	à ce jour
	mettre un livret de banque **à __**	à jour
	__ **d'expiration** d'un médicament, d'un produit de consommation / expiration, expiry date	date limite de validité, d'utilisation
	__ **finale** d'un paiement / final date	date limite, échéance
	jusqu'à __ / up to date	jusqu'à maintenant, jusqu'ici
▼ de	**à** : Pierre Roy / to: **de** : Jeanne Régnier / from: (en tête d'une note de service)	dest. : (pour destinataire), exp. : (pour expéditrice)
◆ de	durant les quatre premiers jours **d'** un accident / during the first four days of an accident	qui suivent
	en ce qui touche la prudence **__** la route / with respect to road safety	sur

	exemples de formes et d'emplois fautifs	formes correctes
◆ de	**notifier qqn __ qqch** / to notify sb of sth	notifier qqch à qqn
	si **par suite __** sa soumission le ministère lui accorde un contrat / if as a result of his tender a contract is awarded	si sa soumission est agréée et lui vaut un contrat
➤ deadline	**deadline**	échéance, date, heure limite
➤ deal	**package deal** (politique)	accord global, entente globale
➤ dealer	**dealer** avec / to deal with	négocier, faire face à, traiter une affaire
▼ debout	ovation **debout, standing ovation**	ovation
➤ debugging	**debugging** (informatique)	débogage, mise au point
▼ décade	**décade** (période de 10 jours et non une période de 10 ans comme en anglais) / decade	décennie
➤ deck	ajouter un **deck** à sa maison	terrasse
▼ déclaration	les deux chefs d'État ont remis à la presse une déclaration **conjointe** / joint statement	commune
➤ déclutcher	**déclutcher** / let out the clutch (auto)	débrayer
➤ déconnecter	**déconnecter** la radio, le fer à repasser / to disconnect	débrancher
▼ dedans	**en dedans de** trois mois / within	en moins de, dans l'espace de, d'ici
➤ déductible	assurance qui comporte un **déductible** de 100 $	franchise
▼ déduction	**déductions** sur le salaire	prélèvements, retenues à la source
▲ défence	**défence**	défense
▼ défendant	champion **défendant** / defending champion	champion en titre, tenant du titre
▼ déficit	entreprise qui fonctionne à **déficit**	à perte
	les Expos ont un __ de cinq matchs	retard

	exemples de formes et d'emplois fautifs	formes correctes
▼ définitivement	va-t-il rendre le livre que tu lui as prêté? – **Définitivement** / – Definitely	assurément, à coup sûr
	__, cela promet d'être intéressant	sans aucun doute, assurément, décidément
	il s'est montré __ intéressé	nettement, indéniablement
▼ défrayer	**défrayer les dépenses** de qqn (anglicisme et archaïsme) / to pay sb's expenses	défrayer qqn de ses frais, rembourser les frais à qqn, supporter les frais de qqch
➤ défroster	**défroster** / to defrost, defroster	dégivrer, dégivreur
▼ dégager	**dégager** de nouveaux crédits dans la construction d'hôpitaux / to release additional funds for	engager, consacrer
▼ délai	nous ne tolérerons aucun **délai** / delay	retard
➤ deletion	**deletion** (informatique)	suppression
➤ delicatessen	**delicatessen**	charcuteries, charcuterie (enseigne d'établissement)
▼ délivrer	l'épicerie ne **délivre** pas / does not deliver	ne livre pas
	nous **délivrons** / we deliver (affiche commerciale)	livraison à domicile, livraison
▼ demande	article très **en demande** / in great demand	recherché, demandé
	le rendement de l'appareil est supérieur à la __ normale / the output of this equipment exceeds normal demands	à ce qu'on exige normalement, dépasse les exigences normales
▼ demander	**demander une question** / to ask a question	poser une question, demander qqch
▼ démantèlement	**démantèlement** des pièces d'un moteur / dismantlement	démontage

	exemples de formes et d'emplois fautifs	formes correctes
▼ démanteler	la société Productex a décidé de **démanteler** l'usine qu'elle possède à Saint-Roland / to dismantle	démonter
▼ démérite	l'automobiliste doit veiller à ne pas **perdre de points de démérite** / demerit marks	accumuler de points d'inaptitude (on ne peut pas perdre de points d'inaptitude)
▼ demeurer	je **demeure** / I remain (en fin de lettre)	je vous prie de me croire, veuillez me croire
	le service ⎯ **inchangé** / remains unchanged	ne subit pas de modifications, reste tel quel
▼ démonstrateur	j'ai acheté un **démonstrateur** / demonstrator	voiture, appareil d'essai
➤ démotion	**démotion** d'un employé, d'un ministre	rétrogradation
➤ den	**den** confortable	pièce de détente
▼ dénomination	en **dénominations** de 10 $ et de 20 $ / denominations	coupures
	catholiques, protestants et membres des autres ⎯	religions, églises, confessions
➤ density	**double density diskette** (informatique)	disquette à double densité
▼ dent	**l'échapper par la peau des dents** / to escape by the skin of one's teeth	l'échapper belle, de justesse
	pâte à ⎯ / toothpaste	pâte dentifrice, dentifrice
▼ département	**département** d'un hôpital, de la comptabilité / department	service (département est employé seulement à l'université)
	⎯ administratif (de l'État)	division administrative
	⎯ des parfums	rayon, comptoir
	gérante de ⎯ / department manager	chef de service
▼ dépasser	ne **dépassez** pas à droite / do not pass on right (affiché sur des camions, des autobus)	défense de doubler par la droite, ne pas doubler par la droite

	exemples de formes et d'emplois fautifs	formes correctes
▼ dépendant	combien avez-vous de **dépendants**?	personnes à charge
▼ dépense	**dépenses capitales** / capital expenditures (entreprise)	frais d'équipement, dépenses en immobilisations, immobilisations
	— **de voyage** / travelling expenses	frais de déplacement
	— **incidentes** / incident expenses	menus frais, dépenses accessoires
▼ dépenser	**dépenser** du temps / to spend time	passer, consacrer, donner
➤ déplugger	**déplugger** un appareil / to unplug	débrancher
▼ déportation	**déportation** d'un étranger / deportation	expulsion
▼ déposer	Défense de **déposer** / No dumping	Défense de déposer des rebuts sur ce terrain, Décharge interdite
▼ dépôt	donner un **dépôt** sur l'achat d'un manteau / deposit	acompte, versement
	— **direct** à la banque / direct deposit	virement automatique
	il faut payer un — de 5 ¢ la bouteille	consigne
	notre candidat a perdu son — à la suite des élections	cautionnement
	pas de — ni retour / no deposit no return (inscription sur des emballages à jeter)	non consigné, non repris, emballage non retournable
▼ depuis	Distillerie Butler ltée, **depuis** 1880 / since	fondée en
◆ dernier	les **derniers 10** jours / the last 10 days	les 10 derniers jours
▼ dernier	le gouvernement est **sur son dernier mille** / on its last mile	près de sa fin, à l'extrémité, au bout de son rouleau
▼ derrière	**escalier de derrière** / backstairs	escalier de service
▼ description	**description** d'un évadé	signalement
➤ desk	**desk** (hôtellerie)	réception
	— **top computer** (informatique)	ordinateur de bureau

	exemples de formes et d'emplois fautifs	formes correctes
▼ dessus	le frein est encore **dessus** / on	engagé, serré
	les phares sont —	allumés
➤ détailler	**détailler** en vue de départager deux joueurs ou deux équipes à égalité / to play off the tie	jouer le match qui détermine le vainqueur, briser l'égalité
▼ détenteur	**détenteur** d'une police d'assurance / policy holder	titulaire, contractant, assuré
▼ détour	**détour** (signal routier)	déviation
▼ dette	**dette** sur un contrat d'assurance / indebtedness	somme due
	— **fondée** / funded debt	fonds consolidés
	— **préférentielle** / preferential debt	créance privilégiée
➤ deuce	**deuce** (tennis)	égalité
▼ deux	jouer **les deux positions** / to play both positions (hockey)	à l'aile gauche et à l'aile droite, aux deux ailes
▼ devant	les faits **placés devant** les membres du conseil / facts put before	soumis aux
▲ dévelopement	**dévelopement** / development	développement
▼ développement	**développement** de nouveaux modèles / development	création
	— d'un nouveau procédé	mise au point
	— d'un plan	élaboration
	— des ressources naturelles	mise en valeur, exploitation
	habiter dans le —	nouveau quartier, lotissement, nouvel ensemble résidentiel, secteur d'habitation, quartier domiciliaire

	exemples de formes et d'emplois fautifs	formes correctes
▼ développement	il devrait y avoir des ___ dans les négociations	les négociations devraient évoluer différemment, les négociations devraient prendre une nouvelle tournure, il devrait y avoir du nouveau dans les négociations
▼ développer	**développer** des problèmes de santé / to develop	éprouver
	nouvelles techniques ___ à l'étranger / developed	inventées, mises au point, créées
➤ développeur	**développeur** / developer	promoteur immobilier, promoteur, constructeur d'habitations
▼ devenir	**devenir dû** / to become due (billet, effet de commerce)	échoir
	le règlement ___ **effectif** le 15 mars / will become effective	entrera en vigueur
▼ dévoilement	**dévoilement** d'une plaque commémorative / unveiling	inauguration
▼ devoir	être **en devoir** de 8 h à 16 h / on duty	de service, de garde, de quart, de faction
➤ dialing	**automatic dialing, auto dialing, autodialing, auto-dialing** (informatique)	composition automatique, numérotation automatique
➤ diem	un **per diem** / per diem allowance	indemnité quotidienne (pour frais de déplacement, séjour, représentation), prix de journée (assurance-hospitalisation)
▼ diète	**diète** végétarienne / diet	régime végétarien
➤ digital	**digital** (informatique)	numérique
	montre ___ / digital watch	à affichage numérique, numérique

	exemples de formes et d'emplois fautifs	formes correctes
➤ digital	__ **optical disk, optical digital disk** (informatique)	disque optique numérique, DON
➤ dill	**pickles, dill pickles**	cornichons marinés, cornichons à l'aneth
▼ diminutif	le **diminutif** lutteur / diminutive	minuscule, tout petit
➤ dimmer	**dimmer** (électricité)	gradateur
▼ dîner	**dîner à la dinde** / turkey dinner (menu de restaurant)	assiette de dinde
	salle à __ / dining room	salle à manger
➤ dînette	**dînette**	coin-repas
▼ dioxyde	**dioxyde de soufre** / sulfur dioxide	anhydride sulfureux
➤ dip	**dip** à la crème sure	trempette
▼ dire	**laissez-moi vous dire** que vous avez tort / let me tell you	je vous assure que, il faut vous dire que, croyez-moi, vous...
▼ direct	**dépôt direct** à la banque / direct deposit	virement automatique
■ direct	aller **direct** en ville / direct in town	directement
▼ directeur	**directeurs** du conseil / directors of the board	administrateurs, membres du conseil d'administration
▼ direction	**directions** d'un produit	mode d'emploi, directives, instructions
➤ directory	**directory**	annuaire du téléphone, tableau indicateur des locaux (près des ascenseurs)
	__, **disk directory** (informatique)	répertoire, répertoire de disque
➤ discarter	**discarter** au jeu de cartes / to discard	se défausser, mettre sur la table, se défaire de
	__ un projet	écarter, rejeter

	exemples de formes et d'emplois fautifs	formes correctes
➤ discompte	**discompte** / discount	escompte (remise sur une facture réglée avant échéance), remise (réduction consentie pour achat en grande quantité), rabais (réduction consentie pour solder des marchandises)
➤ disconnecter	**disconnecter** un appareil électrique / to disconnect	débrancher
	— deux systèmes conducteurs	déconnecter
➤ discontinuer	**discontinuer** un abonnement / to discontinue	cesser, interrompre, mettre fin à
	ce service de vaisselle est — / is discontinuated	n'est plus sur le marché, est interrompu, est sans suite
▼ discrétion	**à la discrétion de** / at sb's discretion (droit)	à l'appréciation de qqn, au choix de qqn (mais, pouvoir discrétionnaire du juge : à la discrétion de)
▼ disgrâce	**disgrâce**	honte (par ex. : une décision), horreur (par ex. : un édifice)
➤ disk	**disk** (informatique)	disque
	CD-ROM, compact — read-only memory (informatique)	disque optique compact, DOC
	digital optical —, optical digital — (informatique)	disque optique numérique, DON
	directory, — directory (informatique)	répertoire, répertoire de disque
	floppy —, flexible disk (informatique)	disquette souple
	hard — (informatique)	disque dur, rigide
	— unit (informatique)	unité de disques
	compact —	disque compact

	exemples de formes et d'emplois fautifs	formes correctes
➤ disk	**laser __**	disque laser
	__ jockey	présentateur, présentatrice, animateur, animatrice
➤ diskette	**diskette, mini __** (informatique)	disquette
	double density __ (informatique)	disquette à double densité
	double-sided __, two-sided diskette (informatique)	disquette à double face
➤ dispatcher	**dispatcher** / to dispatch (taxi, ambulance, etc.)	répartiteur, régulateur
➤ display	**display** (informatique)	visualisation, affichage
	color __ (informatique)	affichage couleur
	highlighting, __ highlight (informatique)	mise en valeur, en évidence
	video __ terminal (informatique)	terminal à écran de visualisation
▼ disponible	ce produit est **disponible** dans toutes les couleurs / available	offert
	le vin nouveau sera __ dans toutes les succursales	en vente, sur le marché
➤ disposable	couches **disposables**	jetables
▼ disposer	**disposer de** / to dispose of	
	__ une affaire	régler, liquider (disposer de : avoir à sa disposition)
	__ un adversaire (sport)	vaincre, battre, avoir raison de
	__ un différend, une question	trancher, régler

	exemples de formes et d'emplois fautifs	formes correctes
▼ disposer	— un objet	se débarrasser de, jeter, mettre à la poubelle (mais : disposer de ses biens)
	— un problème	résoudre
	— un stock	se défaire de, écouler, liquider
	— une objection	réfuter
▼ disposition	**disposition** des déchets industriels / disposal	élimination, destruction, traitement
	— d'un outillage	liquidation, désaffectation
▼ dispute	nous espérons que les négociateurs régleront bientôt la **dispute**	différend, conflit
▼ disque	**disque au laser** / laser disk	disque compact, disque audionumérique
➤ dissatisfaction	**dissatisfaction**	mécontentement, insatisfaction
▼ distance	appel **longue distance** / long-distance call	interurbain
	contrôle à — / remote control	télécommande
▼ distorsion	**distorsion** des paroles de qqn	déformation
▼ distribuer	**distribuer** les amandes sur la pâte / to distribute	répartir
▼ divertir	**divertir** des fonds / to divert	réaffecter
▼ division	**Division** A de la loi	section
	proposition adoptée **sur** — / on division	à la majorité (par opposition à l'unanimité), avec dissidence
◆ divorcer	elle a **divorcé** son mari (l'absence de mot-lien forme l'anglicisme) / she divorced her husband	divorcé de, divorcé avec

	exemples de formes et d'emplois fautifs	formes correctes
◆ divorcer	si je fais ça, ma femme va **me __** / my wife will divorce me	va divorcer
▼ docteur	le **docteur** J.-H. Legrand, de la faculté des Sciences sociales / Dr.	M. J.-H. Legrand, Ph.D., sc. soc. (voir Dr. pour le titre de docteur en médecine)
➤ doggy bag	**doggy bag**	sac à restes, emporte-restes
▼ dôme	**dôme** d'un taxi / dome light	enseigne
▼ domestique	commerce **domestique** / domestic trade	intérieur
	conflit __ / domestic conflict	national, intérieur
	vols __ / domestic flights	intérieurs
➤ domper	**domper** qqn / to dump sb	déposer qqn ou qqch, plaquer qqn
▼ donner	le juge va **donner son jugement** / will give his judgement	prononcer sa sentence, rendre son jugement
➤ doorman	**doorman** (hôtel, boîte de nuit)	portier
➤ doping	le **doping** des chevaux est interdit	dopage
▼ dormant	on pose les rails sur les **dormants** / sleepers	traverses
▼ dossier	votre **dossier** 3718, notre __ 17515 / your file 3718, our file 17515	V/Référence, V/Réf., V/R 3718, N/Référence, N/Réf., N/R 17515
➤ dot	**dot matrix printer, matrix printer, __ printer** (informatique)	imprimante matricielle, par points
■ douane	cet achat-là ne passera pas **aux douanes** / the customs	à la douane
▼ douane	**officier des douanes** / customs officer	douanier
➤ double	**double density diskette** (informatique)	disquette à double densité
▼ double	chambre **double** / double bedroom	à, pour deux personnes

	exemples de formes et d'emplois fautifs	formes correctes
▼ double	lit ⎯ / double bed	à deux places, pour deux personnes, grand lit
➤ double-breast	veston **double-breast** / double-breasted coat	croisé
➤ double-sided	**double-sided diskette, two-sided diskette** (informatique)	disquette à double face
➤ down	avoir un **down**	être déprimé, être dans un bas
	⎯ **time** (informatique)	temps d'arrêt
➤ downloading	**downloading** (informatique)	téléchargement
➤ downswing	**downswing** (golf)	élan descendant
▲ Dr.	**Dr.** (docteur en médecine) / Dr. (doctor)	D^r, Dr (voir docteur pour diplôme de Ph.D.)
➤ drabe	**drabe** / drab	beige
➤ draft	**draft** d'air	courant d'air
	commander une ⎯	bière pression, pression
	⎯ d'un rapport, d'un texte publicitaire, d'une traduction	brouillon, premier jet
	⎯ de contrat, de mémoire	projet
▼ dramatique	modification **dramatique** / dramatic modification	importante, inattendue, incroyable
▼ drap	**blanc comme un drap** / as white as a sheet	blanc comme un linge
▼ drastique	il va falloir prendre des moyens **drastiques** pour freiner la hausse des prix / drastic means	draconiens, énergiques, rigoureux, radicaux (drastique : en médecine seulement, ex. : remède drastique)

	exemples de formes et d'emplois fautifs	formes correctes
▼ drastique	des réductions — de crédits / drastic reductions	rigoureuses, contraignantes, draconiennes, formidables, colossales
➤ dressed	pizza **all dressed**	combinée
➤ driller	**driller** / to drill	percer
➤ drink	toutes sortes de **drinks**	boissons
	le premier — est compris dans le prix d'entrée	la première consommation est comprise
	prendre un —	verre, coup
➤ drive	**drive** (tennis)	coup droit
➤ drive-in	**drive-in**	ciné-parc
	restaurant —	restauroute
➤ driver	**driver** / to drive (golf)	lancer, faire du lancer, s'exercer au lancer
	— une voiture, un camion	conduire, rouler vite
➤ driveway	**driveway** pour stationner l'automobile	entrée
➤ driving range	**driving range** (golf)	terrain d'exercice
▼ droit	**époux, épouse de droit commun** / common law spouse	compagnon, compagne de fait, conjoint, conjointe de fait
	— **humains** / human rights	droits de l'homme, de la personne
➤ drop	**drop** (baseball)	balle tombante
➤ dropout	c'est une **dropout**	décrocheuse
➤ dropper	**dropper** l'école / to drop	abandonner, lâcher
	les profits ont — / dropped	chuté, baissé brutalement

	exemples de formes et d'emplois fautifs	formes correctes
➤ dropper	ses capacités physiques ont __	baissé, décliné
➤ drum	**drum** (instrument de musique)	caisse, tambour, batterie
➤ dryer	**dryer**	sécheuse ou séchoir (pour les vêtements), séchoir ou sèche-cheveux
▼ dû	c'était **dû** à venir / due to come	ça devait venir, c'était appelé à venir
	__ **à** un contretemps, la réunion n'a pas eu lieu / due to	à la suite de, à cause de, en raison de
	__ à vous, j'ai réussi / due to you	grâce à
	devenir __ / to become due (billet, effet de commerce)	échoir
	l'avion est __ à 19 h / is due at	doit arriver, est attendu, doit atterrir
	le compte est **passé** __ / past due	en souffrance, échu
	les Nordiques **sont** __ pour remporter la partie / are due for a win	il est temps que les Nordiques gagnent, c'est au tour des Nordiques de gagner, on sent que les Nordiques vont gagner, les Nordiques sont mûrs pour la victoire
	nous sommes __ pour un voyage / due	mûrs
	tomber __ / to fall due (billet)	échoir, arriver à échéance
➤ dull	c'est **dull**	morne, ennuyeux, monotone

	exemples de formes et d'emplois fautifs	formes correctes
➤ dummy	boîte **dummy**	fausse boîte, boîte factice
	— d'un homme politique, d'un financier	porte-parole, prête-nom
	— d'un placard publicitaire, d'une brochure	maquette
	— d'une vitrine	mannequin
➤ dump	la **dump** ou **dompe** / dump	dépotoir
➤ dumper	**dumper** un camion de déchets / to dump	décharger, déverser
	on va — ça, c'est trop vieux	jeter, se débarrasser de
	tu me — devant le bureau de poste / dump me	me déposes, me descends
➤ dumpeuse	**dumpeuse** / dumper	camion à bascule, benne basculante
▼ duplication	cette mention fait une **duplication**	répétition, fait double emploi
	cette méthode-là amène une — de travail	reprise, répétition, recommencement du même travail
	il faut éviter la — des tâches	chevauchement
▼ durer	il a **duré** 15 ans à cet emploi / he lasted	est resté, a travaillé pendant
➤ duty	bottes **heavy duty**	bottes, bottines de travail
	camion **heavy** —	camion poids lourd, un poids lourd
	équipement **heavy** —	lourd
	moteur **heavy** —	à grande puissance
	niveleuse **heavy** —	à grand rendement
	pneu **heavy** —	superrésistant
➤ duty-free	boutique **duty-free**	hors-taxe

E

	exemples de formes et d'emplois fautifs	formes correctes
▼ eau	**être dans l'eau bouillante /** to be in hot water	être dans l'embarras, dans de mauvais draps, dans le pétrin
▼ échange	**taux d'échange /** exchange rate (finance)	taux de change
▼ échanger	**échanger** un chèque / to exchange a cheque	encaisser
▼ échantillon	**échantillon de plancher /** floor sample (marchandise exposée dans une salle de montre)	article en montre
▼ échapper	**l'échapper par la peau des dents** / to escape by the skin of one's teeth	l'échapper belle, de justesse
▼ échelle	**échelle à extension /** extension ladder	échelle à coulisse
▼ échouer	**échouer** un examen (l'absence de mot-lien forme l'anglicisme) / to fail an exam	échouer à
▼ école	**école alternative /** alternative school	école innovatrice
	les soldes du **retour à l'__** / back to school	rentrée des classes, rentrée
▼ écrire	**écrire** un examen / to write an exam	passer, subir
	__ pour des renseignements / to write for	envoyer une demande de renseignements, demander des renseignements par écrit
► edit	**abandon edit** (informatique)	cessation
▼ éditer	**éditer** un texte / to edit (en vue de son impression)	apprêter, réviser, préparer

	exemples de formes et d'emplois fautifs	formes correctes
▼ éditeur	**éditeur** d'un film / editor	monteur
	— d'un journal, d'un périodique	rédacteur en chef
▼ édition	**édition** du 2 novembre / edition	numéro, livraison
▼ effectif	le règlement **deviendra effectif** le 15 mars / will become effective	entrera en vigueur
	procédé très — dans l'industrie	efficace
▼ effet	recevoir une lettre **à cet effet** / to this effect	en ce sens
	la loi **à l'— que** le gouvernement réduise ses dépenses / to the effect that	la loi établissant la réduction des dépenses du gouvernement
	la nouvelle **à l'— que** la présidente démissionnerait	voulant que, indiquant que, disant que, selon laquelle, à savoir que, la nouvelle de la démission de
	— **sonores** / sound effects (cinéma, télévision)	bruitage
➤ e.g.	**e.g.** (exempli gratia)	p. ex., (par exemple)
➤ egg roll	**egg roll** (cuisine)	pâté impérial, rouleau printanier ou de printemps
▼ élaboré	œuvre **élaborée** / elaborated	fouillée, raffinée
	outil —	compliqué
	style —	travaillé
	travail —	soigné, fini, détaillé
▼ élaborer	il n'a pas voulu **élaborer** / to elaborate	développer, préciser sa pensée, s'étendre là-dessus
▼ élection	**officier rapporteur d'élection** / returning officer	directeur ou directrice du scrutin

	exemples de formes et d'emplois fautifs	formes correctes
▼ élective	chirurgie **élective** ou **sélective** / elective or selective surgery	opération ou intervention non urgente
▼ électrique	un terrible **orage électrique** / electric storm	orage
➤ electronic	**E-mail, electronic mail** (informatique)	courrier électronique
	__ **pen, stylus** (informatique)	stylo électronique
➤ element	**code element** (informatique)	codet
▼ éléphant	**éléphant blanc** / white elephant	cadeau plutôt coûteux et inutile, acquisition superflue
▼ élévateur	prenez l'**élévateur**, à gauche / elevator	ascenseur
▼ éligible	**éligible** à un emploi / elegible	admissible, qualifié pour, qui a droit (éligible : qui peut être élu)
➤ E-mail	**E-mail, electronic mail** (informatique)	courrier électronique
▼ émettre	**émettre** un décret / to issue	prendre, rendre
	__ des directives	donner, imposer, formuler, établir
	__ un communiqué	publier
	__ un passeport, un permis, un diplôme	délivrer
	__ une injonction	prononcer, adresser, accorder
▼ emphase	le premier ministre a mis l'**emphase** sur la décentralisation des services / has laid emphasis on	a mis l'accent sur, a insisté sur
▼ emploi	**être à l'emploi de** / in the employ of	être employé par, travailler pour, chez
▼ employé	le matériel **sera employé** à la fabrication de marchandises / shall be used	servira

	exemples de formes et d'emplois fautifs	formes correctes
▼ en	affaires, papiers **en ordre** / in order	en règle
	arriver __ **avant de son temps** / ahead of time	en avance, d'avance, avant l'heure prévue ou fixée
	article très __ **demande** / in great demand	recherché, demandé
	balance __ **main** / balance in hand	solde en caisse
	cette cinquième baisse de l'indice XXM __ **autant de** jours / in as many days	en cinq jours (répétition obligatoire de l'adjectif numéral)
	__ **accord avec** ce que nous avions prévu / according to	conformément à, selon
	__ **accord avec** le règlement n° 12 / in accordance with	conformément au, en vertu du, suivant le, selon le
	__ **autant que** cela vous intéresse / inasmuch as, insofar as	dans la mesure où, pourvu que, vu que
	__ **autant que** je suis concerné / as far as, insofar as I am concerned	en ce qui me concerne, quant à moi, pour ma part, à mon avis
	__ **dedans de** trois mois / within	en moins de, dans l'espace de, d'ici
	__ **opération** / in operation	en exploitation (usine, mine), en activité (entreprise, usine), en service (ligne d'autobus), en application, en vigueur (plan, programme), en marche (machine)

exemples de formes et d'emplois fautifs	formes correctes
▼ en	
envoyer des marchandises __ **approbation** / on approval	à l'essai, sous condition
être __ **charge** de qqch / to be in charge of	être responsable de, avoir la responsabilité de, être chargé de, avoir la charge de
être __ **devoir** de 8 h à 16 h / on duty	de service
j'ai reçu un appel __ **rapport avec** l'accident / in connection with	relativement à, au sujet de
le pays connaît une chute __ **termes de** création d'emplois / in terms of	en matière de, en ce qui concerne la, pour ce qui est de la, au chapitre de la
le recensement est __ **progrès** / in progress	en cours, en marche
les commissaires __ **office** / in office	en fonction, en exercice
loi, règlement __ **force** / in force	loi en vigueur, règlement qui a pris effet
marchandise, moteur, appareil __ **bon ordre** / in order	en bon état
moteur, appareil __ **mauvais ordre** / in bad order	en mauvais état, déréglé, détraqué
payer 100 $ __ **acompte** / to pay $100 on account	verser un acompte de, payer 100 $ à compte
personne __ **charge** / person in charge	le ou la responsable
venez __ **aucun temps** / at any time	n'importe quand, en tout temps
◆ en	
arriver, partir **en temps** / in time	à temps
il est __ accord avec ses associés sur ce point-là / in accord with	d'accord

	exemples de formes et d'emplois fautifs	formes correctes
◆ en	la question __ **est une d'**importance / is one of	c'est là une question importante, la question a beaucoup d'importance, la question est fort importante
	Montréal **est 20 ans __ retard** / is 20 years late	est en retard de 20 ans (par contre, avec le verbe avoir, la durée du retard se place entre le verbe et la locution : elle a cinq ans de retard)
	notre attitude __ **est une de** collaboration / is one of	est celle de la, est basée sur la, nous cherchons à collaborer : voilà notre attitude
	vivre __ **campagne** / to live in the country	à la campagne
▼ enclose	les mesures **encloses** dans le discours de la première ministre / the measures enclosed	contenues, annoncées
▼ encouru	les dépenses **encourues** l'an passé s'élèvent à... / the expenses incurred	engagées, faites, supportées
	les frais __ / incurred fees	subis
➤ end	**end user** (informatique)	utilisateur final
➤ ending	**happy ending**	c'est une heureuse issue, tout est bien qui finit bien
▼ endosser	**endosser** une opinion / to endorse	souscrire à, approuver, soutenir
▼ engagé	ligne **engagée** / engaged (téléphone)	occupée
	je suis __ au bureau	retenu
▼ engagement	je regrette, j'ai un **engagement** à midi	rendez-vous
▼ enregistré	marque de commerce **enregistrée** / registered trade mark	déposée, brevetée
	colis __ / registered	recommandé

	exemples de formes et d'emplois fautifs	formes correctes
▼ enregistré	lettre __ / registered mail	recommandée, courrier recommandé
	tout changement doit être __ sur les nouvelles formules / recorded	consigné, indiqué
▼ enregistrement	montrez-moi votre **enregistrement** (de véhicule) / registration certificate	certificat d'immatriculation
▼ enregistrer	s'**enregistrer** à l'hôtel / to register	s'inscrire
➤ enter	**enter key** (informatique)	touche d'envoi, de transmission
▼ entraîné	cheval **entraîné** / trained	dressé
	vendeur __	formé, habitué
▼ entraînement	**entraînement** spécialisé / training	formation, apprentissage
▼ entre	des adolescents âgés **entre** 14 et 18 ans / between 14 and 18	(âgés) de 14 à 18 ans
▼ entrée	**entrée des marchandises** / goods entrance (affiche d'un établissement commercial)	entrée de service, de livraison, de réception de la marchandise
	les __ au grand livre / entries	écritures, inscriptions
▼ entrepôt	mon manteau de fourrure est à l'**entrepôt** / in storage	garde-fourrure
	je vais laisser mes meubles à un __ avant mon départ pour l'étranger / storehouse	garde-meuble
➤ énumérateur	aux dernières élections, il a été **énumérateur** / enumerator	recenseur
▼ énumération	**énumération** des électeurs, des citoyens / enumeration	recensement
	__ des petites entreprises	dénombrement
▲ envelope	**envelope**	enveloppe

	exemples de formes et d'emplois fautifs	formes correctes
▼ envoyer	**envoyer** qqn **à son procès** / to send sb to trial	inculper, mettre en accusation, renvoyer devant les tribunaux
▼ épargne	ces marchandises vous sont offertes à **prix d'épargne** / at saving price	prix économique
▼ épaule	**mettre l'épaule à la roue** / to put one's shoulder to the wheel	pousser à la roue
▼ épicier	**épicier licencié** / licensed grocer (affiche)	bière, vin et cidre
▼ époux	**époux, épouse de droit commun** / common law spouse	compagnon, compagne de fait, conjoint, conjointe de fait
▼ équité	l'**équité** du groupe X dans la société YZ / equity	capitaux, avoir
▼ erratique	joueur **erratique** / erratic	irrégulier, inégal
	avoir une conduite __	excentrique
➤ error	**hard error** (informatique)	erreur permanente, persistante
	soft __ (informatique)	erreur temporaire
▼ escalier	**escalier de derrière** / backstairs	escalier de service
➤ escape	**escape key** (informatique)	touche d'échappement
▼ escompte	**prix d'escompte** / discount price	prix minimarge
	profitez d'__ formidables sur nos vêtements de sport / discount	de remises, rabais, réductions
▼ escorte	j'ai gagné un voyage pour moi et mon **escorte** / escort	pour deux personnes
▼ espace	**espace de bureau** à louer / office space to let	local pour bureau à louer, bureau à louer
	louer un **espace** dans un immeuble / space	local, bureau

	exemples de formes et d'emplois fautifs	formes correctes
▼ espérer	**espérez pour le mieux** / hope for the best	prenez confiance, soyez optimiste, ayez confiance que tout va s'arranger le mieux possible
➤ estimé	**estimé** des travaux à exécuter / estimate	estimation
	▃ budgétaires	prévisions budgétaires
	▃ des dommages, des pertes	évaluation, estimation
	▃ en vue de la construction d'un bâtiment	devis
▼ et/ou	le temps prévu pour ce soir : pluie **et/ou** neige / and/or	pluie ou neige, ou les deux à la fois, soit pluie ou neige, soit pluie et neige
◆ établi	selon les règles **établies par lui**, le Conseil pourra ordonner aux entreprises de fournir différents services / rules established by the Council	qu'il aura établies
▼ établi	une compagnie **établie** en 1975 / established	fondée
▼ étampe	**étampe** / stamp	cachet, timbre
▼ étamper	**étamper** un document / to stamp	timbrer, tamponner, oblitérer
◆ étant	les délégués ont rejeté **comme étant** inacceptables les propositions de l'assemblée / as being unacceptable	comme inacceptables (il suffit de supprimer étant)
	veuillez trouver ci-joint notre chèque de 50 $, ▃ **pour** le paiement de... / enclosed... $50, being for the payment of	ci-inclus un chèque de 50 $ représentant le montant de notre dette
▼ état	**état de compte** / state of account	relevé de compte
	dîner d'**État** / state dinner	officiel, de gala, grand banquet

ÉTENDRE

	exemples de formes et d'emplois fautifs	formes correctes
▼ état	funérailles d'__ / state funeral	nationales
	visites d'__ / state visit	officielles
▼ étendre	**étendre** la saison de golf / to extend	prolonger
▼ ethnique	être d'**origine ethnique** / to be of ethnic origin	d'origine étrangère, des néo-Canadiens (nous avons tous une origine ethnique)
	l'opinion de la **presse** __ / ethnic press	des journaux des minorités ethniques, de la presse néo-québécoise
	les **groupes** __ sont opposés au projet de loi / ethnic groups	minorités ethniques
➤ être	**être low profile** / to keep a low profile	être discret, agir sans attirer l'attention, discrètement, sans chercher à se faire remarquer, essayer de ne pas se faire remarquer
▼ être	**être à l'emploi de** / in the employ of	être employé par, travailler pour, chez
	__ **à son meilleur** dans tel domaine / to be at one's best	exceller, être au sommet de sa forme, être au mieux
	__ **concerné dans** la politique / to be concerned in	prendre part à, être intéressé à
	__ **concerné par** les décisions de l'administration / to be concerned by	être inquiet de, préoccupé par
	__ **confiant** que / to be confident that	avoir bon espoir que, être persuadé que, ne pas douter que, avoir confiance que
	__ **dans l'eau bouillante** / to be in hot water	être dans l'embarras, dans de mauvais draps, dans le pétrin

	exemples de formes et d'emplois fautifs	formes correctes
▼ être	__ **dans le même bateau** / to be in the same boat	être dans le même cas, logé à la même enseigne
	__ **dans le rouge** / to be in the red	être en déficit, avoir une balance déficitaire
	__ **dans les souliers de** qqn / to be in sb's shoes	être à la place de, dans le peau de
	__ **en session** / to be in session (conseil, commission)	tenir séance, siéger
	__ **hors d'ordre** / to be out of order (assemblée délibérante)	faire un accroc au règlement, déroger au règlement, faire une intervention antiréglementaire, enfreindre les règlements
	les Nordiques __ **dus** pour remporter la partie / are due for a win	il est temps que les Nordiques gagnent, c'est au tour des Nordiques de gagner, on sent que les Nordiques vont gagner, les Nordiques sont mûrs pour la victoire
	les prix __ **sujets à** modification sans avertissement / are subject to change	sont modifiables sans préavis, pourront subir des modifications, nous nous réservons le droit de modifier les prix
	__ **mélangé, mêlé** / to be mixed up	ne pas, ne plus s'y retrouver, être embrouillé, perdu, tout perdu
	plusieurs pensent que la TPS __ **là pour rester** / is there to stay	est là pour de bon, est une chose acquise
	__ **sous arrêt** / to be under arrest	être en état d'arrestation, être arrêté

	exemples de formes et d'emplois fautifs	formes correctes
▼ être	__ **sous l'impression que** / to be under the impression that	avoir l'impression que, avoir idée que, garder l'impression que
	__ **sous l'influence de l'alcool** / to be under the influence of alcohol	être en état d'ébriété
	__ **sur la ligne de piquetage** / to be on picket lines	être aux piquets de grève
	__ **sur la ligne** / to be on the line (téléphone)	occuper la ligne, être à l'écoute
	__ **sur le banc** / to be on the bench	être magistrat ou magistrate, siéger au tribunal
	__ **sûr que** la vanne est bien fermée / to be sure that	s'assurer que
◆ être	brochure **à être préparée, à** __ **distribuée** / to be prepared, to be distributed	à préparer, à distribuer (on emploie l'auxiliaire être avec les verbes passifs, réfléchis et plusieurs verbes intransitifs)
	il est le deuxième **à** __ **proclamé** le joueur le plus utile à son équipe / to be proclaimed	qu'on proclame, à recevoir le titre de
	Montréal __ 20 ans **en retard** / is 20 years late	est en retard de 20 ans (par contre, avec le verbe avoir, la durée du retard se place entre le verbe et la locution : elle a cinq ans de retard)
	sa sœur __ **une** ingénieure / his sister is an engineer	sa sœur est ingénieure
	nous **avons** __ **refusés** de le faire / we were refused to do it	on nous a refusé la permission de le faire
	tous les membres ont-ils __ **téléphonés**? / were all members phoned up?	a-t-on téléphoné à tous les membres?, tous les membres ont-ils été appelés?

	exemples de formes et d'emplois fautifs	formes correctes
◆ être	une expérience très intéressante pour eux **a** __ ... / a most interesting experience was...	comme expérience intéressante pour eux, il y a eu..., l'expérience suivante a été très intéressante pour eux :
▼ étudiant	**étudiants** des niveaux primaire, secondaire et collégial / students	élèves (le terme étudiant s'applique uniquement à un ou une élève d'une université. Étudiant universitaire est un pléonasme)
➤ évaluateur	**évaluateur, évaluatrice** / evaluator	estimateur, estimatrice
▼ événement	les **événements** du festival seront... / the events	activités
▼ éventuel	nous déciderons après la remise du rapport **éventuel** / eventual	final
	ceux qui souhaitent un changement __	ultérieur
▼ éventuellement	ce joueur est **éventuellement** descendu dans les équipes mineures / eventually	finalement, par la suite (éventuellement : hypothétiquement)
▼ évidence	il faut plus d'**évidences** / evidence	preuves
▼ examiner	**examiner** un témoin / to examine	interroger, entendre
▲ example	**example**	exemple
▼ exécutif	un **exécutif** / executive	dirigeant, directeur, cadre supérieur
	secrétaire __ / executive secretary	secrétaire de direction, secrétaire administratif, administrative
	vice-présidente__ / executive vice-president	vice-présidente directrice
	comité __ d'un syndicat / executive committee	comité directeur

	exemples de formes et d'emplois fautifs	formes correctes
▼ exécutif	___ d'un syndicat / executive	bureau de direction, conseil de direction
▼ exercer	**exercer** une option / to exercise an option	exercer son droit d'option, disposer d'une faculté d'option, d'une capacité d'exercice
▼ exercice	**exercice de feu** / fire drill	exercice d'évacuation
	___ de l'option / the exercise of the option	levée d'option, droit d'option, faculté d'option, capacité d'exercice
▲ exercise	**exercise**	exercice
➤ exhaust	tuyau d'**exhaust**	d'échappement
➤ exhibit	veuillez me donner le dossier avec l'**exhibit** n° 5 (droit)	pièce, pièce à l'appui, pièce à conviction
	les ___ faisant partie d'une exposition	pièces d'exposition, pièces
	ne pas toucher aux ___	objets exposés
➤ exit	**exit** (d'origine latine)	sortie (direction à suivre pour sortir d'un bâtiment), porte de sortie
➤ ex officio	nommé **ex officio**	de droit, d'office
➤ expert	**expert system** (informatique)	système expert
▼ expiration	**date d'expiration** d'un médicament, d'un produit de consommation / expiration, expiry date	date limite de validité, d'utilisation
➤ extended	**extended memory** (informatique)	mémoire physique étendue
▼ extension	**extension** 322 (téléphone)	poste
	___ à une construction	annexe, rallonge, agrandissement

	exemples de formes et d'emplois fautifs	formes correctes
▼ extension	__ de congé, d'engagement, d'échéance d'un effet de commerce	prolongation
	échelle à __ / extension ladder	échelle à coulisse
	lampe à __ / extension lamp	lampe baladeuse, baladeuse
	table à __ / extension table	table à rallonge
➤ external	**external storage** (informatique)	mémoire externe
▼ extra	il lui faut un maillot **large** ou **extra large**	grand ou très grand
➤ eye	**black eye**	œil au beurre noir, œil poché

	exemples de formes et d'emplois fautifs	formes correctes
▼ face	**faire face à la musique** / to face the music	affronter la situation, faire front, prendre le taureau par les cornes
▼ facilité	l'hôtel n'a pas toutes les **facilités** voulues / facilities	commodités, installations (facilité ne s'applique pas à des choses matérielles)
	on a toutes les __ : aqueduc, égouts, etc.	services
	__ portuaires	installations
➤ facsimile	**facsimile, fax** (informatique)	télécopie
	__ **machine, facsimile terminal, facsimile transceiver, fax machine, fax terminal, fax** (informatique)	télécopieur
➤ factory	**factory outlet** (commerce)	magasin d'usine
▼ faillir	**faillir** un examen / to fail an exam	échouer à, ne pas réussir à, rater
▼ faillite	**faillite frauduleuse** / fraudulent bankruptcy	banqueroute
➤ failure	**malfunction, failure** (informatique)	défaillance, panne
➤ fair play	**fair play**	franc jeu, loyauté, bonne foi
▼ faire	nous n'avons rien **à faire avec** ça / we have nothing to do with that	nous n'avons rien à voir à cela, nous n'y sommes pour rien

	exemples de formes et d'emplois fautifs	formes correctes
▼ faire	ce joueur a **bien** __ au cours de la première manche / has done well	bien joué, fait belle figure
	elle a **bien** __ dans ses études cette année / has done well	réussi
	vous avez **bien** __ pendant votre période d'essai / you did well	fourni un bon rendement
	la recommandation a **été** __ par le conseil / this recommandation was made by	la recommandation émane du conseil
	une petite robe **cheap**, c'est __ **cheap**	bon marché, pas cher, de mauvaise qualité
	l'excellent travail __ par la commission / the excellent work done by	accompli
	elle __ 1 000 $ par semaine / she makes $1,000 a week	gagne, se fait
	cela __ **du sens** / it makes sense	a du sens
	__ **amis** / to make friends	devenir amis, se lier d'amitié
	__ **application, appliquer pour, sur** un emploi / to make an application, to apply for a job	postuler un emploi, faire une demande d'emploi, offrir ses services, solliciter un emploi, poser sa candidature à un emploi, remplir une formule de demande d'emploi
	__ **de fausses représentations** / to make false representations, false pretences	faire des déclarations mensongères, déguiser la vérité, tromper
	__ **du temps** à cause d'un vol / to serve time, to do time	faire de la prison, purger sa peine

	exemples de formes et d'emplois fautifs	formes correctes
▼ faire	__ **face à la musique** / to face the music	affronter la situation, faire front, prendre le taureau par les cornes
	__ **sa part** / to do one's part	collaborer à, contribuer à, appuyer, participer à qqch, fournir sa part
	__ **son point** / to make one's point (dans un débat)	faire prévaloir son point de vue, convaincre son public, ses interlocuteurs
	__ **un fou de soi** / to make a fool of oneself	faire l'imbécile, se couvrir de ridicule, agir en insensé
	ça va __ / it will do	ça suffit, assez
	il faut **se __ une idée** / one has to make up one's mind	prendre une décision, se décider, faire son choix
	pour __ l'histoire courte / to make the story short	pour être bref
	se __ du capital politique / to make capital of a political situation	favoriser ses intérêts politiques, exploiter à des fins politiques, se gagner des faveurs, des avantages politiques
➤ fairway	**fairway** (golf)	une allée
➤ faker	**faker** / to fake	feinter (sport), feindre, jouer la comédie
➤ fall	**fall ball** (baseball)	balle fausse
▼ familier	je suis **familier** avec ce procédé / familiar with	familiarisé, ce procédé m'est familier

	exemples de formes et d'emplois fautifs	formes correctes
➤ fan	**fan** d'appartement, d'atelier, du moteur d'une voiture	ventilateur
	— d'un groupe musical	admirateur, admiratrice, adepte
▼ fantastique	c'est **fantastique** / it's fantastic	formidable, magnifique, épatant
➤ fashion	assister au **fashion show** annuel des grands couturiers québécois / fashion show	présentation de mode
➤ fast-food	restaurant **fast-food**	restaurant-minute
	repas —	cuisine-minute, plat-minute, repas-minute, bouffe-minute, prêt-à-manger, restauration rapide, restauration-minute
▼ fatalité	les **fatalités** sont rares dans nos usines / fatalities	accidents mortels
▼ faute	**faute contributoire** / contributory negligence (droit)	négligence de la victime
▼ faux	être accusé de **fausse représentation** / false pretence	fraude, abus de confiance
	faire de — représentations / to make false representations, false pretences	faire des déclarations mensongères, déguiser la vérité, tromper
	se présenter **sous de — représentations** / under false pretences	frauduleusement
▼ favoriser	**favoriser** telle solution / to favour such solution	préconiser, prôner, recommander, préférer
➤ fax	**facsimile, fax** (informatique)	télécopie

	exemples de formes et d'emplois fautifs	formes correctes
➤ fax	**facsimile machine, facsimile terminal, facsimile transceiver, fax machine, ___ terminal, ___** (informatique)	télécopieur
➤ feed	**form feed** (informatique)	alimentation en papier
	line ___ (informatique)	changement de ligne, avance de ligne
➤ feedback	**feedback** en électronique	contre-réaction
	on n'a pas encore eu le ___ des personnes les plus visées par les mesures d'austérité	réaction, commentaires
	quand on travaille pour une cause depuis des mois, on aime à avoir un___	preuve de succès, témoignage de réussite, résultat tangible
➤ feeling	apprendre à exprimer davantage ses **feelings**	sentiments
	j'ai le ___ qu'il n'est pas content	impression, sentiment
	personne ne me l'avait dit, c'était un ___	intuition
▼ fermé	rue **fermée** / closed street (signalisation routière)	rue barrée
▼ fermer	**fermer, ouvrir la ligne** / to close, to open the line (téléphone)	raccrocher, décrocher
▼ fermeture	**jour de fermeture de la soumission** / the day the tender closes	dernier jour de la présentation des soumissions, date limite de présentation des soumissions
➤ ferry	**ferry, ferryboat**	traversier
▼ fertilisé	des œufs **fertilisés** / fertilized	fécondés
▼ feu	**exercice de feu** / fire drill	exercice d'évacuation
	mouche à ___ / firefly	luciole
	résistant au ___ / fire-resisting	ignifuge, réfractaire
▼ feuille	**feuille de balance** / balance sheet	bilan

	exemples de formes et d'emplois fautifs	formes correctes
▼ feuille	__ **de temps** / time sheet (contrôle des heures de présence au travail)	feuille de présence
	musique en feuilles / sheet music	musique écrite, cahier de musique
	travailleur du métal en __ / sheet-metal worker	tôlier
➤ fiberglass	**fiberglass** (marque déposée)	fibre de verre
➤ field	**address field** (informatique)	zone adresse
▼ fier	**se fier sur** les informations obtenues / to rely on	se fier aux
▼ fièvre	**fièvre des foins** / hay fever	rhume des foins
➤ fighter	**fighter** / to fight	lutter, se débattre, débattre une affaire, une cause
▼ figure	les **figures** nous indiquent que le chômage ne diminue pas	chiffres
▼ figurer	**figurer** des revenus élevés / to figure	prévoir
	__ **des coûts** / to figure	estimer
	j'ai __ que c'était réalisable / I have figured	imaginé, pensé, cru
▼ filage	l'incendie est dû au **filage** défectueux / wiring	canalisations électriques
	cet appareil fonctionne sur le **petit** __ / light wiring	courant-éclairage, circuit-éclairage
	faire installer le **gros** __ / heavy wiring	courant-force, circuit-force
➤ file	**file** (informatique)	fichier
	__ **maintenance** (informatique)	tenue de fichiers
	__ **name** (informatique)	nom de fichier
	__ **search** (informatique)	recherche séquentielle
	__ **select** (informatique)	sélection d'éléments de fichier
	__ **sort** (informatique)	tri de fichier

	exemples de formes et d'emplois fautifs	formes correctes
➤ file	**active** ___ (informatique)	fichier actif
	backup ___ (informatique)	fichier de sauvegarde, de sécurité, de secours
	data ___ (informatique)	fichier de données
	master ___, **main** ___ (informatique)	fichier maître, de base
	permanent ___ (informatique)	fichier permanent
➤ filer	**filer** des lettres / to file	classer
	___ des procédures judiciaires	produire
▼ filer	**filer** bien, **filer** mal / to feel well, to feel bad	se sentir bien, aller bien, se sentir mal, aller mal
	___ pour s'amuser	être d'humeur à, être en humeur de
▼ filerie	réparer la **filerie** d'une maison / wiring	installation électrique
▼ filière	mettre le dossier dans la **filière** / filing cabinet	classeur
	j'ai besoin de la ___ de Caron ltée / file	dossier, chemise
▼ film	**film** d'emballage / packing film	pellicule d'emballage
➤ filter	fumer des **filters**	bouts filtres
▼ fin	**pour les fins de** / for the purpose of	aux fins de, pour les besoins de
➤ final	**final copy** (informatique)	document définitif
▼ final	**date finale** d'un paiement	date limite, échéance
	jugement ___	sans appel, irrévocable
	position ___	définitive, ferme
	texte ___ d'une loi	définitif
	vente ___	vente ferme

	exemples de formes et d'emplois fautifs	formes correctes
➤ finaliser	**finaliser** / to finalize	conclure, terminer, achever, mettre la dernière main à
▼ finance	**compagnie de finance** / finance company	société de crédit, de financement, de prêts
	achat **sur la __** / on finance	à crédit
▼ finir	**combat à finir** / fight to the finish	combat à outrance
➤ finishing	**finishing touch** à un travail	dernière main
➤ fireproof	un tissu **fireproof**	ininflammable, à l'épreuve du feu, ignifugé
➤ first aid	j'ai apporté une trousse de **first aid** / first aid kit	de premiers soins
▼ fiscal	**année fiscale** / fiscal year	année budgétaire, financière, exercice budgétaire, comptable, financier, exercice (fiscal : du domaine de l'impôt)
➤ fit	il a une **fit**	crise
➤ fitter	**fitter** les pièces d'une machine / to fit	assembler, monter
	j'espère que ça va __	convenir, faire l'affaire, aller
	les morceaux ne __ pas	ne sont pas de la bonne dimension, ne s'ajustent pas
	le pantalon ne __ pas	n'est pas de la bonne taille, fait mal

	exemples de formes et d'emplois fautifs	formes correctes
➤ fixture	installer les **fixtures**	appareils d'éclairage, luminaires, appliques, lustres, plafonniers, suspensions
	commerce à vendre avec les __	accessoires fixes (comptoirs, tablettes, tabourets)
➤ flammable	produit **flammable, non-flammable** / flammable, non flammable	inflammable, ininflammable
➤ flash	passer un **flash** à la radio	annonce, message, nouvelle éclair
	avoir un __	idée
➤ flashback	l'auteur effectue beaucoup de **flashbacks**	retours en arrière, rétrospectives
➤ flasher	actionner le **flasher** avant de tourner	clignotant
	mettre les __ d'urgence	le signal de détresse
	des bijoux **qui** __ / that flash	clinquants, voyants, criards
	des lumières qui __	clignotent
	il aime __	attirer les regards, paraître, se faire valoir
➤ flashlight	**flashlight**	lampe de poche, torche électrique
➤ flat	un pneu **flat**	dégonflé, à plat, crevé
	de la bière __	éventée, plate
	poser du __	de la peinture mate, du mat

	exemples de formes et d'emplois fautifs	formes correctes
▼ flexible	horaire **flexible** de travail / flexible schedule	variable
➤ flexible	**flexible disk, floppy disk** (informatique)	disquette souple
➤ flip	un **flip chart** est utilisé dans les conférences et tient lieu de tableau	tableau de conférence
➤ flop	ç'a été un **flop**	échec, fiasco, four
➤ floppy	**floppy disk, flexible disk** (informatique)	disquette souple
➤ flowchart	**flowchart** (entreprise)	schéma de principe ou de fabrication, plan de travail, organigramme, diagramme, graphique de circulation (pièces, documents)
➤ flush	**flush**	au niveau de, au ras de, à ras de
	__ (cartes)	quinte
➤ flusher	**flusher les toilettes** / to flush	tirer la chasse (d'eau)
➤ fly	**fly** de pantalon	braguette
	__ (baseball)	ballon, chandelle
➤ flyer	on voyait les objets **flyer** dans les airs / flying	voler
	il a __ avant qu'on l'attrape / flew away	s'est sauvé, a déguerpi, a pris ses jambes à son cou
	l'argent __ / flies out	s'épuise
➤ foam	appareil emballé dans du **foam**	mousse de polystyrène, mousse
▼ focal	les futures élections sont le **point focal**	point de mire
➤ focus	le **focus** dans un appareil-photo	foyer

	exemples de formes et d'emplois fautifs	formes correctes
➤ focus	— group	groupe-discussion, réunion de groupe
	la qualité dans l'entreprise est le — de toute l'opération	centre d'intérêt, d'attention, point de mire, l'entreprise a mis l'accent sur la qualité
➤ focuser	être **focusé** sur qqch / to be focused on	être centré, axé, en partie consacré à, porté surtout sur, focaliser sur
▼ foin	**fièvre des foins** / hay fever	rhume des foins
➤ follow-up	**follow-up**	suivi (administration)
		de relance (questionnaire)
		de rappel (réunion)
		service après-vente, service à (clientèle)
		surveillance, postobservation, évolution (après un traitement médical)
▼ foncier	**taxes foncières** / property tax	impôt foncier
▼ fondé	**dette fondée** / funded debt	fonds consolidés
▼ fonds	**fonds de contingence** / contingency fund (gestion d'entreprise)	fonds de prévoyance, fonds pour éventualités
	— de pension / pension fund	caisse de retraite
	lancement d'une **levée de —** / fund raising campaign	collecte de fonds, campagne de collecte de fonds, de financement, de souscription
➤ food	**junk food**	camelote alimentaire, aliment vide, aliment-camelote

	exemples de formes et d'emplois fautifs	formes correctes
➤ footing	**footing** d'une maison	semelle de fondation, semelle
➤ force	**task force**	groupe de travail, d'étude
▼ force	**force ouvrière** / labor force	population active
	loi, règlement **en** __ / in force	loi en vigueur, règlement qui a pris effet
	prendre __ / to come into force	entrer en vigueur
➤ forcing	à l'assemblée, il y a eu du **forcing**	contrainte
➤ foreman	**foreman**	chef d'équipe, contremaître, contremaîtresse
▼ forfaiture	**forfaiture** / forfeiture (droit)	confiscation (d'un bien), déchéance (d'un droit, d'une fonction)
▼ forger	**forger** une signature / to forge	contrefaire, imiter, falsifier
➤ form	**form feed** (informatique)	alimentation en papier
➤ format	**format menu** (informatique)	menu des paramètres de disposition, de présentation
➤ formatting	**formatting** (informatique)	formatage
▼ formel	art **formel** d'un peintre / formal art	conventionnel
	dîner __ / formal dinner	grand dîner, dîner officiel
	entretien __ entre deux politiques / formal talk	officiel
	habillement __ / formal dress, wear	habillement, tenue de soirée
	séance __ d'un comité / formal session	statutaire
	style __ d'une oratrice / formal style	empesé, académique

	exemples de formes et d'emplois fautifs	formes correctes
▼ fou	**faire un fou de soi** / to make a fool of oneself	faire l'imbécile, se couvrir de ridicule, agir en insensé
▼ fournaise	**fournaise à l'huile** / oil furnace	chaudière à mazout
▼ fourni	habiter un **appartement fourni** / furnished apartment	un meublé
➤ foxer	**foxer** l'école	se prétendre malade, jouer au malade, faire l'école buissonnière
▼ frais	des **frais**, ces gens-là / fresh	prétentieux, fanfarons
	seront fournis **sans __** / will be supplied free of charge	gratuitement
	__ de service / service charge	frais d'administration, de gestion
➤ frame	**frame**	armature (raquette)
		bois (fauteuil, lit)
		cadre (tableau, bicyclette)
		bâti, carcasse (machine, moteur)
		charpente (bâtiment)
		châssis (auto)
		coffrage (ouvrage de béton)
		monture (parapluie, lunettes)
➤ frame-up	**frame-up**	affaire montée, coup monté
➤ framer	**framer** / to frame	encadrer, mettre dans un cadre
▼ frapper	**frapper** une aubaine / to hit	trouver, profiter de
	l'automobile a __ le passant	heurté
	__ un excentrique comme guide	tomber sur

	exemples de formes et d'emplois fautifs	formes correctes
▼ frauduleux	**faillite frauduleuse** / fraudulent bankruptcy	banqueroute
➤ free	une **free plug** à la télévision	publicité larvée
➤ free-for-all	**free-for-all**	mêlée générale, méli-mélo
➤ freezer	**freezer**	compartiment congélateur, congélateur
➤ friendliness	**user friendliness** (informatique)	convivialité, facilité d'utilisation
➤ front-page	la nouvelle a fait la **front-page** du journal	la une
➤ frosté	verre **frosté** / frosted	dépoli
	vitre __	givrée
➤ full	à **full steam**	à toute vitesse, à toute vapeur
	__ **pin**	à plein régime
	local __	bondé
	sac __	comble
	valise __	bourrée
➤ fun	**fun**	plaisir, amusement
	c'est **le** __	amusant, drôle
➤ function	**Boolean function** (informatique)	fonction booléenne
▼ funéraire	**résidence funéraire** / funeral home	salon mortuaire, funérarium
➤ fuse	une **fuse** brûlée	fusible fondu, plomb sauté
▼ futur	je m'interroge sur mon **futur** / I wonder about my future	avenir
	dans le __ / in the future	à l'avenir, dans l'avenir

FUTUR

	exemples de formes et d'emplois fautifs	formes correctes
▼ futur	le contrat prévoit des **considérations** __ / future considerations	compensations futures

122

	exemples de formes et d'emplois fautifs	formes correctes
▼ gagner	**gagner son point** / to win one's point	avoir gain de cause
▼ galée	le correcteur d'épreuves lit les **galées** / galleys	placards, épreuves en placard
➤ gambler	**gambler**	joueur, flambeur, parieur, spéculateur, risque-tout
➤ game	à quelle heure la **game** de football?	match, partie
	ça fait partie de la ___	du jeu
	être ___	décidé, gagné, d'accord
➤ gamique	il y a une **gamique** là-dessous / gimmick	manigance, combine, du micmac, du fricotage
➤ gang	**gang**	groupe, bande, clique
➤ gap	**gap**	écart
▼ garantie	**garantie collatérale** / collateral security	sûreté supplémentaire, accessoire
▼ garder	**gardez, tenez la ligne** / keep, hold the line (téléphone)	ne quittez pas, un instant s'il vous plaît

	exemples de formes et d'emplois fautifs	formes correctes
▼ garder	__ **un œil sur** / to keep an eye on	surveiller, avoir l'œil sur, avoir, tenir à l'œil
	veuillez __ **vos sièges** s'il vous plaît / please keep your seat	veuillez rester assis
➤ gate	**gate** (informatique)	porte
➤ gateway	**gateway** (informatique)	passerelle
▼ gaz	**gaz** pour automobile / gas	essence
	pédale à __ / gas pedal (auto)	pédale d'accélérateur, accélérateur
	station de __ / gas station	poste d'essence
	tinque à __ / gas tank (auto)	réservoir à essence
▼ gazer	**gazer** / to gas	faire le plein, prendre de l'essence
▼ gazoline	**gazoline** pour automobile	essence
➤ GB	**gigabyte, GB** (informatique)	Gigaoctec, Go
➤ gear	**gears**	roues dentées, engrenage (machine), vitesses (camion)
➤ gentleman	**gentleman's agreement**	engagement moral
➤ gentrification	la **gentrification** de certains quartiers	embourgeoisement
▼ gérant	**gérant** / manager	
	__ d'atelier	chef
	__ de banque	directrice
	__ **de département**	chef de service
	__ de la production	directeur
	__ de magasin	directrice
	__ **de plancher**	chef d'étage
	__ (spectacle)	imprésario
	__ des ventes	directeur des ventes, directrice commerciale

	exemples de formes et d'emplois fautifs	formes correctes
➤ gigabyte	**gigabyte, GB** (informatique)	Gigaoctec, Go
▼ glace	**cubes de glace** / ice cubes	glaçons
➤ gliding	**hang gliding** pratiqué à l'aide d'un deltaplane (sport)	vol libre
▼ glissant	**glissant si humide** / slippery when wet (signalisation routière)	risque de dérapage, chaussée glissante par temps pluvieux
▼ global	village **global** / global village	planétaire (grâce aux communications, l'humanité est un grand village)
➤ globalisation	la **globalisation** des marchés / globalization	la mondialisation des marchés, les marchés à l'échelle mondiale
➤ go	un, deux, trois, **go** (signal de départ dans une course)	partez
	être toujours sur le__ / on the go	à trotter, à courir
➤ goal	**goal** (sport)	but
➤ goaler	un **goaler** (sport)	gardien de but, gardien
	goaler / to goal (sport)	garder le but
➤ gomme	**gomme balloune** / bubble gum	gomme à claquer, à bulles
➤ goods	les **impulse goods** offerts à l'entrée des magasins arrêtent les clients	produits-chocs
▼ goût	**avoir un goût pour** / to have a taste for	avoir du goût pour, un penchant vers, un faible pour
▼ goûter	**goûter** bon / to taste good	avoir bon goût
	__ mauvais / to taste bad	avoir mauvais goût
➤ grader	**grader** (industrie)	profileuse, niveleuse

	exemples de formes et d'emplois fautifs	formes correctes
▼ graduation	**graduation**	cérémonie de remise des diplômes, remise des diplômes (secondaire, collégial), collation des grades (université)
▼ gradué	une **graduée** d'université / graduate	diplômée
	études __	supérieures
	infirmier __	infirmier diplômé
	Marie a __ cette année	obtenu son diplôme, est diplômée depuis cette année
▼ grand	**grand total** (comptabilité)	total général, global, somme globale
	la deuxième **plus** __ ville du Québec / the second largest	la deuxième ville en superficie ou en importance
▼ gratifiant	un passe-temps **gratifiant** / gratifying	satisfaisant, enrichissant, valorisant
▼ gravelle	chemin en **gravelle** / gravel	gravier
➤ greater	**Greater** Montréal	le Grand Montréal, l'agglomération montréalaise (il est incorrect de dire le Montréal métropolitain)
➤ green	**green** (golf)	le vert
▼ grenade	**pomme grenade** / pomegranate	grenade
▼ grève	**aller en grève** / to go on strike	faire la grève, déclencher une grève, se mettre en grève
	prendre un vote de __ / to take a strike vote	procéder à un vote, à un scrutin de grève, voter, tenir un vote
	__ **rotative** / rotating strike	tournante

	exemples de formes et d'emplois fautifs	formes correctes
▼ grief	**lever** un grief / to raise a grievance	exprimer, formuler
	loger un — / to lodge	présenter, formuler
➤ grilled	**grilled cheese**	sandwich fondant au fromage
➤ grip	**grip** (golf)	la prise
➤ grocerie	**grocerie**	épicerie, articles d'épicerie, commande d'épicerie
▼ grossier	**grossière indécence** / gross indecency	outrage (public) à la pudeur, attentat à la pudeur
➤ ground	**ground** (électricité)	fil, prise de terre, mise à la terre, câble de masse (auto)
➤ grounder	**grounder** une machine / to ground	mettre à la terre, à la masse, relier à la terre, à la masse
➤ group	**focus group**	groupe-discussion, réunion de groupe
➤ grubber	**grubber** / to grub	sarcler, passer qqch au sarcloir, passser le sarcloir
▼ guérilla	**guerre de guérilla** / guerilla war	guérilla
➤ guess	faire un **guess**	supposition, estimation
➤ gun	**gun**	arme à feu, revolver, pistolet, fusil
➤ guts	avoir le **guts** de faire qqch	courage, hardiesse, cran, audace

GYPROC

	exemples de formes et d'emplois fautifs	formes correctes
➤ gyproc	**gyproc** / gyproc, gypsum board (marque déposée)	carton-plâtre, plaque de plâtre, placoplâtre

H

	exemples de formes et d'emplois fautifs	formes correctes
▼ habileté	**habileté** manuelle / manual ability	aptitude, capacité, talent
➤ haddock	filet d'**haddock**	aiglefin, églefin
➤ handicap	**handicap** (golf)	marge d'erreur
➤ hang	**hang gliding** pratiqué à l'aide d'un deltaplane (sport)	vol libre
➤ happy	**happy ending**	c'est une heureuse issue, tout est bien qui finit bien
	— **hour**	heure de l'apéritif, de l'apéro, le 5 à 7
➤ hard	**hard copy** (informatique)	imprimé, copie sur papier, copie papier
	— **disk** (informatique)	disque dur, rigide
	— **error** (informatique)	erreur permanente, persistante
➤ hardtop	cette voiture a un **hardtop**	toit amovible
	une **voiture** — est dépourvue de montant intermédiaire entre les glaces latérales	néo-coupé (à deux portes), néo-berline (à quatre portes)
➤ hardware	**hardware** (informatique)	matériel du système
▼ harnachement	**harnachement** de la rivière aux Outardes / harnessing	aménagement, aménagement hydroélectrique

	exemples de formes et d'emplois fautifs	formes correctes
▼ harnacher	**harnacher** une chute d'eau / to harness	mettre en exploitation, aménager, mettre en valeur
▼ harnais	**course sous harnais** / harness race	course attelée
▼ hasard	l'appel à la rébellion n'est pas sans **hasards** / without hazards	risques, dangers
➤ hatchback	une voiture **hatchback** est munie d'une porte à l'arrière donnant accès à un espace de rangement à même l'habitacle	à hayon
◆ hâter	**hâtez-vous** à notre solde gigantesque / hurry to	hâtez-vous de venir profiter de, hâtez-vous de profiter de
▲ hazard	**hazard**	hasard
➤ heater	**heater**	chauffe-plat, réchaud, chaufferette, radiateur, chauffe-eau
➤ heavy	bottes **heavy duty**	bottes, bottines de travail
	camion __ **duty**	camion poids lourd, un poids lourd
	équipement __ **duty**	lourd
	moteur __ **duty**	à grande puissance
	niveleuse __ **duty**	à grand rendement
	pneu __ **duty**	superrésistant
➤ hello	**hello!** André à l'appareil	allô!
➤ help	**help menu** (informatique)	menu d'assistance, d'aide
➤ helper	**helper**	assistant, aide
▲ heure	**hrs.** (heures) / hrs. (hours)	h

	exemples de formes et d'emplois fautifs	formes correctes
▼ heure	**heures d'affaires** / business hours	heures d'ouverture (magasins ou commerces), heures de bureau, horaire (selon le contexte), ouvert de... à...
	ils sont partis aux **petites __ du matin** / they left in the small hours of the morning	au petit matin, fort avant dans la nuit
➤ hide-a-bed	**hide-a-bed**	canapé-lit
➤ high	**high resolution screen** (informatique)	écran à haute résolution, à haute définition
➤ highlight	**highlighting, display highlight** (informatique)	mise en valeur, en évidence
➤ hint	passer un **hint** à qqn	renseignement, tuyau
▼ histoire	**histoire de cas** / case history	étude intégrale des antécédents médicaux, du dossier médical, de l'évolution d'une maladie
	ces chiffres ne révèlent qu'**une partie de l'__** / only a part of the story	aspect de la question, de la situation
	pour faire l'__ courte / to make the story short	pour être bref
➤ hit	**hit** (baseball)	coup sûr, coup réussi, beau coup
	__ d'un spectacle, d'une soirée	clou
	__ (en général)	succès surprise
	__ (marché du disque)	grand succès
➤ hit-and-run	**hit-and-run** (auto)	délit de fuite
➤ hobby	**hobby**	passe-temps
➤ holding	**holding**	société de portefeuille
➤ holdup	**holdup**	vol à main armée
➤ hole	**hole** (golf)	la coupe
	__ in one (golf)	trou d'un coup

	exemples de formes et d'emplois fautifs	formes correctes
➤ home	**home key** (informatique)	touche de position initiale
	— run (baseball)	coup de circuit, circuit
➤ homemade	**homemade**	fait à la maison, maison
▼ homme	**hommes au travail** / men at work (signalisation routière)	travaux en cours, attention : travaux
▼ honneur	objection, **votre Honneur** / your Honor (droit)	monsieur le juge
▼ honorable	l'**honorable** Granger / the Honourable	madame Granger, madame la ministre Granger, monsieur Granger, monsieur le ministre Granger
➤ hood	**hood** (auto)	capot
▼ horaire	horaire **flexible** de travail / flexible working hours	variable
▼ hors	circonstances **hors, au-delà de notre contrôle** / beyond our control	indépendantes de notre volonté, échappant à notre action
	être — d'ordre / to be out of order (assemblée délibérante)	faire un accroc au règlement, déroger au règlement, faire une intervention antiréglementaire, enfreindre les règlements
	il est **— de question** que la requête soit retirée / out of question	il ne saurait être question que, il n'est pas question que
	la motion, la proposition, l'amendement était **— d'ordre** / out of order (assemblée délibérante)	non recevable, irrecevable, antiréglementaire, contraire au règlement
	règlement, arrangement **— cour** / out of court	à l'amiable
➤ hose	**hose**	tuyau d'arrosage, tuyau
➤ hot	**hot chicken sandwich**	sandwich chaud au poulet

	exemples de formes et d'emplois fautifs	formes correctes
➤ hot	__ **line** (radio)	tribune téléphonique, tribune radio
➤ hour	**happy hour**	heure de l'apéritif, de l'apéro, le 5 à 7
➤ house	**town houses**	maisons en rangée
▲ hrs.	**hrs.** (heures) / hrs. (hours)	h
▼ huile	**changement d'huile et lubrification** / oil change and lubrication (auto)	vidange et graissage
	__ **à chauffage** / heating oil	mazout (prononcer le « t »)
	fournaise à l'__ / oil furnace	chaudière à mazout
▼ humain	**droits humains** / human rights	droits de l'homme, de la personne

I

	exemples de formes et d'emplois fautifs	formes correctes
▼ idée	**quelle est l'idée** d'un pareil projet? / what is the idea?	à quoi rime un pareil projet?, à quoi veut-on en venir?
	il faut **se faire une __** / one has to make up one's mind	prendre une décision, se décider, faire son choix
▼ identifier	la direction **identifie** trois objectifs qu'il faudrait atteindre / identifies	définit, établit, désigne, reconnaît
	il faut **__** les différents secteurs de la population / must identify	découvrir
	veuillez vous **__** / please identify yourself	nommer, donner votre identité
▼ identique	**jumeaux identiques** / identical twins	vrais jumeaux
▼ idiome	**idiomes** de la langue anglaise / idioms	idiotismes
▼ ignition	**ignition** (auto)	allumage
▼ ignorer	**ignorer** une interdiction / to ignore	passer outre à
	veuillez **__** cet avis / please ignore this notice	ne pas tenir compte (ignorer : ne pas savoir)
▼ immigrant	**immigrant reçu** / landed immigrant	immigrant (un immigrant ne peut pas être clandestin)
▼ implication	expliquer les **implications** de ce geste	conséquences, répercussions, significations

	exemples de formes et d'emplois fautifs	formes correctes
▼ impliqué	j'ai été **impliqué** dans un accident de voiture (impliquer, au sens de mêler qqn à une action, a une signification péjorative) / involved	mêlé à (au sens de : avoir pour conséquence logique)
	de grands capitaux sont __ dans cette entreprise	engagés
	les personnes __ dans ces catégories	comprises
	voici les personnes __ dans la réalisation du projet	mises à contribution, qui participent
▼ important	la troisième **plus importante** industrie / the third most important	la troisième industrie en importance
▼ impression	**être sous l'impression que** / to be under the impression that	avoir l'impression que, avoir idée que, garder l'impression que
▼ imprimer	**imprimer** 10 000 exemplaires / to print 10,000 copies	tirer à
➤ impulse	les **impulse goods** offerts à l'entrée des magasins arrêtent les clients	produits-chocs
➤ in	c'est l'actrice **in**	de l'heure, la plus en vogue, en vogue
	in trust (finances)	fidéicommis
▲ Inc.	**Inc.** (dans la raison sociale d'une entreprise)	inc. (sans majuscule)
▼ inchangé	le service **demeure inchangé** / remains unchanged	ne subit pas de modifications, reste tel quel
▼ incidemment	**incidemment**, c'était un homme très malade / incidentally	à propos, au fait, soit dit en passant (incidemment : accessoirement, accidentellement)
▼ incidence	diminuer l'**incidence** des incendies	fréquence
	diminuer l'__ du diabète	nombre de cas
▼ incident	**dépenses incidentes** / incident expenses	menus frais, dépenses accessoires

	exemples de formes et d'emplois fautifs	formes correctes
▼ inconfortable	se sentir **inconfortable avec** cette décision / uncomfortable with	mal à l'aise de, gêné de
▼ inconscient	le blessé était **inconscient** à son arrivée à l'hôpital / unconscious	sans connaissance, inanimé, évanoui
▼ incontrôlable	situation **incontrôlable** / uncontrollable	imprévisible, imprévue
▼ incorporation	**incorporation** de la Papeterie Diablo	constitution, constitution en société, constitution juridique
	acte d'__ / incorporation act	loi de constitution de société
▼ incorporé	**société incorporée** / incorporated society (entreprise)	constituée en société par actions, constituée en société
▼ indécence	**grossière indécence** / gross indecency	outrage (public) à la pudeur, attentat à la pudeur
➤ indent	**indent** (informatique)	alinéa
▼ indexer	**indexer** un registre / to index	faire, dresser l'index
	__ un article	mettre dans l'index, répertorier, classer
▼ industrie	cette **industrie** quitte la ville / industry	entreprise industrielle
■ inflationnaire	tendance, poussée **inflationnaire** / inflationary	inflationniste
▼ influence	**être sous l'influence de l'alcool** / to be under the influence of alcohol	être en état d'ébriété
➤ informalité	**informalité** / informality, informal act (droit)	irrégularité, vice de forme
➤ information	**information processing** (informatique)	traitement de l'information
▼ information	bureau d'**information** / information desk	de renseignements
	nous vous faisons parvenir, **pour votre __** / for your information	à titre d'information, de renseignement, pour information

	exemples de formes et d'emplois fautifs	formes correctes
▼ information	j'aimerais avoir une ＿ s'il vous plaît	renseignement
▼ informel	causerie **informelle** / informal talk	familière, à bâtons rompus
	démarche ＿ / informal step	officieuse, privée
	dîner ＿ / informal dinner	sans cérémonie
	réunion ＿ / informal meeting	intime, à caractère privé
	séance ＿ / informal session	en dehors des statuts, non statutaire
	tenue ＿ / informal dress	de ville, sport
◆ informer	ses fournisseurs **ont informé** le soumissionnaire / his suppliers have advised the tenderer	les fournisseurs du soumissionnaire l'ont informé ou les fournisseurs du soumissionnaire ont informé ce dernier
▲ initialization	**initialization** (informatique)	initialisation
▼ initier	**initier** une mode / to initiate	lancer
	＿ des mesures	instaurer
	＿ des négociations	entamer, amorcer, engager
	les démarches ＿ par elle / initiated	entreprises
➤ ink-jet	**ink-jet printer** (informatique)	imprimante à jet d'encre
➤ input	**input/output**	impression/expression (communication), consommation/production (économie), entrée/sortie (électronique), intrants/extrants, entrée/sortie (informatique)

	exemples de formes et d'emplois fautifs	formes correctes
➤ insécure	se sentir **insécure**	anxieux, inquiet
	la rue est devenue __	peu sûre, dangereuse
▼ inséré	cuire jusqu'à ce qu'un couteau **inséré** au centre en sorte clair / bake until knife inserted in center	glissé
➤ insert	**insert** (informatique)	insertion
◆ insister	c'est au responsable d'**insister que** les règlements soient observés / to insist that	insister pour que, exiger que
▼ insister	le journaliste a **insisté** que le débat sur le monopole se fait entre Montréal et Toronto / insisted that	affirmé, soutenu
▼ instantané	café **instantané** / instant coffee	soluble
▼ instituer	**instituer** une poursuite, une action / to institute legal proceedings, an action	agir, ester, poursuivre en justice, entamer des poursuites, intenter une action
➤ instruction	**branch instruction, jump instruction** (informatique)	instruction de branchement
▼ intangible	**actif intangible** / intangible asset	bien incorporel, élément d'actif incorporel
	actifs __ / intangible assets	actif incorporel, immobilisations incorporelles
▼ intégral	cette stipulation fait partie **intégrale** du contrat / integral part of	partie intégrante
➤ intelligence	**AI, artificial intelligence** (informatique)	IA, intelligence artificielle
▼ intention	l'**intention** du règlement / intention of the regulation	esprit
➤ intercom	**intercom**	interphone
◆ intéressé	être intéressé **dans** qqch / to be interested in	à
	si tu es __ **par** mon projet / if you are interested by	si mon projet t'intéresse

	exemples de formes et d'emplois fautifs	formes correctes
▼ intérêt	faites-nous connaître vos **intérêts** / your interests	préférences, sujets de prédilection, choses préférées, champs d'intérêt
	procédé contraire aux **meilleurs __** de notre société / to the best interests of	intérêts fondamentaux, primordiaux, supérieurs
➤ interface	**user interface** (informatique)	interface d'utilisateur
▼ interférer	**interférer** dans une discussion / to interfere	intervenir, s'ingérer
▼ intérieur	fonctionner à **l'intérieur de** ce budget / to operate within this budget	dans les limites de
▼ intermission	il y a une **intermission** de dix minutes entre les deux parties du spectacle	entracte (masc.)
➤ internal	**internal storage** (informatique)	mémoire interne
➤ internetting	**internetting, internetworking** (informatique)	interconnexion de réseaux, de réseaux locaux
● interview	**interview**	interview (ne se prononce pas « innterview » mais « interview » comme dans interne)
▼ introduire	**introduire** un projet de loi / to introduce a bill	présenter
	__ qqn à qqn d'autre	présenter
▼ inventaire	**inventaire** sur les rayons du magasin / inventory	marchandises
	__ de plancher / floor inventory	stocks courants
	__ physique / physical inventory (des biens d'une entreprise)	inventaire matériel, extracomptable
	le fabricant a en **__** / in inventory	en stock, en dépôt, en réserve
	renouveler l'**__** de l'usine	stocks, approvisionnement

	exemples de formes et d'emplois fautifs	formes correctes
➤ investiguer	**investiguer** / to investigate	examiner, étudier (une question, des possibilités), enquêter sur (un crime)
▼ investissement	la solidarité est à base d'**investissement** personnel / personal investment	engagement
▼ invité	**conférencier invité** / guest lecturer	conférencier
➤ iron	**clubs et irons** (golf)	bâtons et fers
▼ irréconciliable	deux opinions **irréconciliables** / irreconcilable	inconciliables
▼ irrégularité	fibres et **irrégularité** devraient aller de pair / irregularity	constipation
▼ item	**item**	article (commande au magasin)
		élément (énumération)
		point (ordre du jour)
		poste (bilan)
		rubrique (rapport)
		sujet, point, question (discussion)

	exemples de formes et d'emplois fautifs	formes correctes
➤ jack	**jack**	cric, vérin (dans l'industrie)
➤ jack pot	**frapper le jack pot**	gagner le gros lot
➤ jacker	**jacker** son auto / to jack	soulever (avec le cric)
➤ jacket	**jacket**	anorak de ski
		blouson de sport
		vareuse de pêcheur
		veste, veston de costume, de complet
➤ jammé	**jammé** / jammed	bloqué (frein)
		bloqué (touches de clavier)
		calé (moteur)
		coincé, calé (tiroir)
		être pris, bloqué (dans un embouteillage)
▼ jardinier-maraîcher	**jardinier-maraîcher** / market gardener	maraîcher
▼ jarre	**jarres** à conserves / preserve jars	pots à conserves
➤ jelly	qui n'aime pas les **jelly beans**?	jujubes
➤ jet	**jet**	avion à réaction
	jumbo ⎯	avion gros-porteur
▼ jeter	l'adversaire a **jeté la serviette** / threw in the towel (boxe)	jeté l'éponge, abandonné la partie, baissé pavillon, les bras, déclaré forfait

	exemples de formes et d'emplois fautifs	formes correctes
➤ jigger	utiliser un **jigger** permettant de faire des dosages de boissons	doseur, bouchon doseur
➤ jingle	**jingle** entendu plusieurs fois à la radio	refrain publicitaire, ritournelle
➤ job	avoir une **job** pour qqn	travail, ouvrage, tâche
	chercher une —	emploi, travail
	être payé à la — (entreprise)	à la pièce, à la tâche, à forfait
	— de freins	pose de nouveaux freins, remplacement des freins
	— (informatique)	travail
➤ jober	**jober**	entrepreneur à la pièce, à forfait, revendeur
➤ jobine	avoir une **jobine** de fin de semaine / job	petit emploi, petit travail, petit boulot
▼ joindre	**joindre** une association / to join	se joindre à, devenir membre de
	— une entreprise	entrer au service de
	— un parti	adhérer à, s'inscrire à, se joindre à
➤ joint	**joint venture** (administration)	coentreprise, entreprise conjointe, commune, en copropriété, en coparticipation

	exemples de formes et d'emplois fautifs	formes correctes
➤ joke	c'est une **joke**	farce, tour, blague, attrape, canular
	faire une bonne ⎯	bon mot, bonne plaisanterie, bonne blague, bon trait d'esprit
▼ jouer	jouer **les deux positions** / to play both positions (hockey)	à l'aile gauche et à l'aile droite, aux deux ailes
	il reste deux minutes **à jouer** / to play	de jeu
	jouer **les seconds violons** (auprès de qqn) / to play second fiddle (to sb)	un rôle secondaire, de second plan
▼ jour	**ouvert 24 heures, 24 heures par jour** / 24-hr service	ouvert jour et nuit, jour et nuit (les deux expressions conviennent aux textes imprimés), 24 heures sur 24 (langue familière)
	⎯ **de fermeture de la soumission** / the day the tender closes	dernier jour de la présentation des soumissions, date limite de présentation des soumissions
	⎯ de **nomination** / nomination day (date où l'on doit inscrire sa candidature à une élection)	jour des déclarations de candidature, des mises en candidature, de la présentation des candidats
	le **Jour du Souvenir** / Remembrance Day	l'Armistice
▼ journée	**à la journée, à la semaine, à l'année longue** / all day long, all week long, all year long	à longueur de journée, de semaine, d'année
➤ joystick	**joystick** (informatique)	manche à balai, manette de jeu

	exemples de formes et d'emplois fautifs	formes correctes
▼ jugement	**au meilleur de mon jugement** / to the best of my judgment	autant que j'en puis juger, que j'en puisse juger
	confesser ___ / to confess judgment	reconnaître les droits du demandeur, acquiescer, consentir à la demande
	le juge va **donner son** ___ / will give his judgement	prononcer sa sentence, rendre son jugement.
➤ jumbo	**jumbo jet**	avion gros-porteur
▼ jumeaux	**jumeaux identiques** / identical twins	vrais jumeaux
➤ jump	**jump instruction, branch instruction** (informatique)	instruction de branchement
➤ jumper	le **jumper** est indémodable	robe chasuble
	jumper de colère, de joie, de frayeur / to jump	faire un saut, sauter, sursauter, bondir
➤ jumpsuit	porter un **jumpsuit**	combinaison-pantalon, combinaison
▼ junior	**junior**	
	commis ___	commis débutant
	comptable ___	comptable stagiaire, second comptable
	député ___	de peu d'expérience
	gestionnaire ___	en second
	peintre ___	apprenti peintre, second peintre
	Jean Lefort ___	Jean Lefort, fils
➤ junk	**junk food**	camelote alimentaire, aliment vide, aliment-camelote
	___ **mail** (courrier publicitaire distribué dans les boîtes aux lettres)	publicité importune, publicité directe sans adresse, envoi sans adresse

	exemples de formes et d'emplois fautifs	formes correctes
▼ juridiction	domaine réservé à la **juridiction** des provinces / jurisdiction	compétence
	cette institution n'est pas sous la __ du ministère de l'Éducation	autorité
	cette question est sous la __ de la Régie	relève de
	cette question n'est pas de la __ du ministère des Transports	n'est pas du ressort
	les secteurs sous la __ de la convention collective	relevant du champ d'application
▼ jusqu'à	**jusqu'à date** / up to date	jusqu'à maintenant, jusqu'ici
▼ juvénile	une **juvénile**	mineure

K

	exemples de formes et d'emplois fautifs	formes correctes
➤ KB, Kbyte	**kilobyte, Kbyte, KB** (informatique)	kilooctet, ko
➤ kètch	**kètch** ou **catch** / catch	serrure à barillet
➤ key	**alternate key** (informatique)	touche à double fonction
	arrow ___ (informatique)	touche de directivité, de déplacement, touche curseur
	backspace ___ (informatique)	touche d'espacement arrière, de rappel arrière
	control ___ (informatique)	touche de service
	enter ___ (informatique)	touche d'envoi, de transmission
	escape ___ (informatique)	touche d'échappement
	home ___ (informatique)	touche de position initiale
	return ___ (informatique)	touche de retour (sur certains micro-ordinateurs, la touche de retour est équivalente à la touche de transmission)
	shift ___ (informatique)	touche de positionnement du clavier
➤ keyboard	**keyboard** (informatique)	clavier
➤ keyword	**keyword** (informatique)	mot clé
➤ kick	avoir un **kick** pour qqch / to have a kick out of sth	avoir envie de, être mordu pour, avoir un faible pour

	exemples de formes et d'emplois fautifs	formes correctes
➤ kick	elle a un nouveau __, le deltaplane	toquade, marotte, lubie, folie
	siéger au comité, ça a été un gros __ pour moi	plaisir, satisfaction
➤ kicker	le cheval **kicke** / kicks	rue, se cabre
	__ à faire quelque chose / to kick out at	se rebiffer à, hésiter à
➤ kid	des gants de **kid**	chevreau
➤ kilobyte	**kilobyte, Kbyte, KB** (informatique)	kilooctet, ko
➤ king	boîte **king size**	format géant
	cigarettes __ **size**	de longues cigarettes, des longues
	lit __ **size**	très grand format
➤ kit	**kit** (en général)	barda, truc, bazar
	__ d'information, de presse	cahier
	__ de documentation (congrès)	pochette
	__ de pièces à assembler	jeu de construction, d'assemblage (jouet), ensemble préfabriqué
	__ de réparation, de premiers soins, de cycliste	trousse
	__ de voyage, de toilette, de maquillage, à ongles	nécessaire
➤ kitchenette	**kitchenette**	cuisinette
➤ know-how	**know-how** informatique	savoir-faire
➤ kodak	un **kodak** (marque déposée)	appareil-photo
● krach	**krach** (ce mot d'origine allemande désigne l'effondrement des cours à la bourse)	krach (ne se prononce pas « krash » mais « krac »)

147

L

	exemples de formes et d'emplois fautifs	formes correctes
▼ là	plusieurs pensent que la TPS **est là pour rester** / is there to stay	est là pour de bon, est une chose acquise
➤ labor	**cheap labor**	main-d'œuvre bon marché
➤ lady	**bag lady**	clocharde
▼ laine	**laine d'acier** / steel wool	paille d'acier
▼ laisser	**laissez-moi vous dire** que vous avez tort / let me tell you	je vous assure que, il faut vous dire que, croyez-moi
	S.V.P. me __ **avoir** une copie du mémoire / let me have	me procurer
	voudriez-vous me le __ **savoir**?/ let me know	faire savoir?, m'en avertir?
▼ lampe	**lampe à extension** / extension lamp	lampe baladeuse, baladeuse
➤ language	**artificial language** (informatique)	langage artificiel
	computer __, machine language (informatique)	langage machine
▼ large	**large** ou **extra large?**	grand ou très grand?
▼ laser	**disque au laser** / laser disk	disque compact, disque audionumérique
➤ laser	**laser disk** (informatique)	disque laser
	__ **printer** (informatique)	imprimante laser, à laser
➤ last	**last call** (bar)	dernière commande, dernier service
➤ laundrette, laundry	**laundrette, laundry**	laverie automatique

	exemples de formes et d'emplois fautifs	formes correctes
➤ layer	**application layer** (informatique)	couche d'application
➤ lay-off	**lay-off**	licenciement
◆ le	vendredi, **le** 31 décembre 1999 / Friday, the 31st of December	le vendredi 31 décembre 1999 (sans virgule)
➤ leasing	**leasing**	crédit-bail
▼ lecteur	**lecteur** d'épreuves / proofreader (édition)	correctrice, correcteur
▼ lecture	**lecture** des épreuves / proofreading (édition)	correction des épreuves
➤ ledger	**ledger** (comptabilité, ventes, achats, paye)	grand livre
➤ légal	**aviseur légal** / legal advisor	conseiller juridique, avocat consultant, avocat-conseil, avocat
▼ légal	carrière **légale** / legal career	d'avocat
	département __ / legal department	service juridique, du contentieux, contentieux
	entité __ / legal entity	personne morale, civile, juridique
	étude __ / legal office	cabinet, étude d'avocat, de notaire, cabinet juridique
	expert __ / legal expert	expert juriste, jurisconsulte
	frais __ / legal charges	frais de justice
	garantie __ / legal security	caution judiciaire
	liquidation __ / legal liquidation	judiciaire
	opinion __ / legal opinion	avis juridique, consultation juridique
	poursuites __ / legal action	judiciaires
	pratique __ / legal practice	pratique du droit, exercice du droit

	exemples de formes et d'emplois fautifs	formes correctes
▼ légal	**représentant** __ / legal representative (droit)	un ayant cause, des ayants cause, un ayant droit, des ayants droit, un, une mandataire
	secrétaire __ / legal secretary	d'avocat, d'avocats
	terme __ / legal term	de pratique
▼ léger	caractères **légers** / light-faced type (édition)	maigres
	imprimer en **léger** (édition)	maigre
▼ législation	le Parlement serait appelé à voter une **législation** / legislation	loi (législation : l'action de légiférer, l'ensemble des lois)
▼ lettre	lettre de **référence** / reference letter	de recommandation (mais : avoir des références, servir de référence)
▼ levée	lancement d'une **levée de fonds** / fund raising campaign	collecte de fonds, campagne de collecte de fonds, de financement, de souscription
▼ lever	**lever** un grief / to raise a grievance	exprimer, formuler
	se __ **sur** un point d'ordre / to rise to (assemblée délibérante)	demander le rappel à l'ordre
	se __ **sur** une question de privilège / to rise	poser une question...
▼ libelle	poursuivre qqn en **libelle** / libel	en diffamation (un libelle : un écrit diffamatoire)
➤ libelleux	écrit, article **libelleux** / libellous	diffamatoire
▼ licence	ma **licence** est bosselée / license plate	plaque (d'immatriculation)
	j'ai perdu mes __ / driver's license	permis de conduire et certificat d'immatriculation
	__ **complète** / fully licensed (affiche de restaurants)	vins, bières et spiritueux
▼ licencié	restaurant **licencié** / licensed restaurant	qui offre des alcools
	épicier __ / licensed grocer (affiche)	bière, vin et cidre

	exemples de formes et d'emplois fautifs	formes correctes
➤ lifeguard	**lifeguard** à la piscine, à la plage	sauveteur, surveillante de baignade
➤ lift	j'ai eu un **lift** pour me rendre en ville	une occasion
	je lui ai donné un __	je l'ai fait monter, je l'ai emmené dans ma voiture, je l'ai déposé
	__ **truck** (manutention)	chariot élévateur
➤ lifting	**lifting** (chirurgie plastique)	remodelage, lissage
➤ light	**light pen, light sensor** (informatique)	photostyle, crayon lumineux, crayon optique
➤ lighter	**lighter**	briquet, allume-cigarette (dans une voiture)
▼ ligne	vous êtes dans quelle **ligne**? / line	profession, spécialité, genre d'affaires, branche, domaine
	ce n'est pas sa __	rayon, ressort, compétence, responsabilité, dans ses cordes
	__ d'articles (commerce)	série, modèle, collection, type, sorte
	__ **de montage, d'assemblage** / assembly line (usine)	chaîne de montage, chaîne de fabrication
	attendre en __ / in a line	à la file
	être sur la __ **de piquetage** / to be on picket lines	être aux piquets de grève

	exemples de formes et d'emplois fautifs	formes correctes
▼ ligne	décider en bout de __ / at the end of the line	en fin de compte, en définitive, finalement
	avoir en __ / on the line	au bout du fil, au téléphone, être en communication
	être sur la __ / to be on the line	occuper la ligne, être à l'écoute
	gardez, tenez la __ / keep, hold the line	ne quittez pas, un instant s'il vous plaît
	ouvrir, fermer la __ / to open, to close the line	décrocher, raccrocher
	__ ouverte / open line (radiotélévision)	tribune téléphonique
▼ lignes	traverser les **lignes** / boundary lines	frontière
▼ limite	les municipalités auront le droit de fournir des services **au-delà** de leurs **limites** / beyond their limits	en dehors de leur territoire
▲ Limitée	**Ltée.** / Ltd. (dans la raison sociale d'une entreprise)	ltée (sans ponctuation, ni majuscule)
➤ line	**line** (par opposition à staff) / line, line of authority, line of command (administration)	hiérarchie directe, linéaire, structure en ligne directe, ligne hiérarchique
	control __ (informatique)	ligne de commande
	hot __ (radiotélévision)	tribune téléphonique, tribune radiotélévision
	__ feed (informatique)	changement de ligne, avance de ligne
	__ printer (informatique)	imprimante par ligne
➤ lipsync	**lipsync**	synchronisation des lèvres
▼ liqueur	**liqueur douce** / soft drink	boisson gazeuse
➤ liquid	**liquid paper**	correcteur, blanc correcteur

	exemples de formes et d'emplois fautifs	formes correctes
➤ list	**list, listing** (informatique)	listage
	mailing —	liste d'expédition, d'envoi, publipostage
▼ liste	**prix de liste** / list price	prix courant, de catalogue
	— **des vins** / wine list (restauration)	carte des vins
➤ listé	**listé** / listed	catalogué, énuméré (ensemble d'articles), inscrit (article)
➤ listing	**listing, list** (informatique)	listage
▼ littérature	**littérature** de la compagnie / company literature	prospectus, brochures, dépliants, textes publicitaires
	— concernant une étude sur la production d'hydrocarbures au Québec / literature	documentation
➤ live	émission **live** / live program	en direct
➤ living	**living room**	salle de séjour, vivoir
▼ livraison	**livraison spéciale, par** — **spéciale** / by special delivery	livraison par exprès (prononcer comme « presse »), par exprès, exprès
	— **postale** / postal delivery	distribution du courrier
▼ livre	**livre des minutes** d'une association, d'un organisme / minute-book	registre des procès-verbaux
	— **des minutes** d'un conseil, d'un tribunal	registre des délibérations
▼ livrer	le ministère des Affaires extérieures conclut que le chef d'État n'a pas **livré la marchandise** / has not delivered the goods (sens figuré)	tenu parole, promesse, respecté ses engagements

	exemples de formes et d'emplois fautifs	formes correctes
▼ livret	**livret** d'allumettes / book of matches	pochette d'allumettes
	___ de chèques / chequebook	carnet de chèques, chéquier
► loader	**loader** (véhicule)	chargeuse
► loading	**loading** (informatique)	chargement
▼ local	**local** 1121 (téléphone)	poste
	___ d'un syndicat	section locale, section
► location	**location** (informatique)	emplacement
▼ location	le taux de l'impôt est fixé selon la **location** de l'immeuble	situation, emplacement
	il y a maintenant des centres de conditionnement à plusieurs ___ à Montréal / at several locations	endroits
► locker	**locker**	case, armoire extérieure (à l'appartement), armoire du sous-sol
► locking	**locking** (informatique)	verrouillage
► log	**log** sheet, **log** (informatique)	journal
► log-in	**log-in, logging-in, log-on, logging-on** (informatique)	ouverture de session
► log-off	**log-off, logging-off, log-out, logging-out** (informatique)	fermeture de session
▼ logement	on prévoit construire 5 000 **unités de logement** / units, dwelling units	appartements, logements, maisons
▼ loger	**loger** un grief / to lodge	déposer
	___ une plainte	déposer une plainte, porter plainte
	___ une réclamation	faire

	exemples de formes et d'emplois fautifs	formes correctes
▼ loin	**combien loin** est-ce? / how far is it?	à quelle distance est-ce?, est-ce loin?
▼ long	appel **longue distance** / long-distance call	interurbain
	à la journée, à la semaine, à l'année ___ / all day long, all week long, all year long	à longueur de journée, de semaine, d'année
➤ look	le **look**	aspect, apparence, style, allure
▼ louer	**maintenant à louer** / now renting (affiche sur un nouvel immeuble)	prêt pour occupation
▼ lourd	**trafic lourd** / heavy traffic	circulation dense, grosse circulation
➤ lousse	**lousse** / loose	lâche, mal tendue, desserrée (corde)
		lâche, trop grand, non cintré, ample (vêtement)
		en vrac (condiments)
		en liberté, sans surveillance, détaché (animal)
		souple, variable, non chargé (horaire)
➤ low	mettre à **low** (appareil électrique)	à doux
	être ___ profile / to keep a low profile	être discret, agir sans attirer l'attention, discrètement, sans chercher à se faire remarquer, essayer de ne pas se faire remarquer

	exemples de formes et d'emplois fautifs	formes correctes
➤ Ltd.	**Ltd.** / Ltd. (dans la raison sociale d'une entreprise)	ltée (sans ponctuation, ni majuscule)
▲ Ltée.	**Ltée.** / Ltd. (dans la raison sociale d'une entreprise)	ltée (sans ponctuation, ni majuscule)
▼ lubrification	**changement d'huile et lubrification** / oil change and lubrication (auto)	vidange et graissage
▼ lumière	tourne à la première **lumière** / light (signalisation routière)	au premier feu
	les __ d'une automobile / lights	phares, feux arrières

	exemples de formes et d'emplois fautifs	formes correctes
▲ M.	**M.** Marc Tremblay / Mr. Marc Tremblay (dans l'en-tête ou sur l'enveloppe d'une lettre)	Monsieur Marc Tremblay
➤ mâchemalo	**mâchemalo** / marshmallow	guimauve
➤ machine	**machine shop**	atelier de construction mécanique, d'usinage
	computer language, __ language (informatique)	langage machine
▼ machiner	**machiner** une pièce de métal / to machine	usiner
▼ machiniste	**machiniste** / machinist	ajusteur de machines-outils, ajusteur
▼ magasin	**magasin à rayons** / department store	grand magasin (rayon : une section de magasin)
	__ d'escompte / discount store	magasin de rabais
➤ mail	**E-mail, electronic mail** (informatique)	courrier électronique
	junk __ (courrier publicitaire distribué dans les boîtes aux lettres)	publicité importune, publicité directe sans adresse, envoi sans adresse
➤ mailing	**mailing list**	liste d'expédition, d'envoi, publipostage
➤ main	**main file, master file** (informatique)	fichier maître, de base
	__ menu (informatique)	menu principal
▼ main	argent en **main** / cash on hand	argent en caisse
	balance en __ / balance in hand	solde en caisse

	exemples de formes et d'emplois fautifs	formes correctes
▼ main	**donnons une bonne __ d'applaudissements** / a big hand	applaudissons chaleureusement
	voiture de **seconde __** / secondhand car	d'occasion (mais : renseignements, documents obtenus de seconde main, c.-à-d. d'une personne interposée)
➤ maintenance	**maintenance**	entretien (maintenance : entretien du matériel technique seulement)
	file __ (informatique)	tenue de fichiers
▼ maintenant	**maintenant à louer** / now renting (affiche sur un nouvel immeuble)	prêt pour occupation
▼ maintenir	**maintenir** les dossiers / to maintain records	tenir
	__ des relations / to maintain relations	entretenir
▼ maître	**chambre des maîtres** / master bedroom	chambre principale
▼ majeur	un événement **majeur** / major event	grave, principal, primordial, capital
➤ major	les **majors** américains du cinéma	grands studios
➤ makeup	**makeup**	fard, maquillage
▼ mal	c'est un vrai **mal de tête** que de démêler ça / it's a headache	casse-tête, problème ardu
➤ malfunction	**malfunction, failure** (informatique)	défaillance, panne
▼ malle	**malle** (anglicisme et archaïsme) / mail	courrier
	boîte à __ / mailbox	boîte aux lettres
	camion de la __ / mail truck	des postes
	envoyer qqch par la __ / by mail	poste
➤ maller	**maller** (anglicisme et archaïsme) / to mail	mettre à la poste, poster

	exemples de formes et d'emplois fautifs	formes correctes
➤ malpractice	**malpractice**	faute professionnelle
➤ man	**morning man, morning woman** (radiotélévision)	animateur matinal, animatrice matinale
	self-made __, self-made woman	autodidacte
➤ manager	**manager**	cadre, gestionnaire, chef d'entreprise, imprésario (spectacle), agent d'affaires (sport)
▼ manipuler	les examens ont été **manipulés** / manipulated	truqués, falsifiés, faussés
▼ manquer	je t'ai **manqué** / I missed you	je me suis ennuyé de toi, tu m'as manqué (on manque à qqn), j'ai regretté ton absence
	__ le bateau / to miss the boat	perdre, rater l'occasion de, manquer le coche
▼ manucure	je me suis fait donner un **manucure** / manicure	fait faire les ongles, les mains, fait manucurer
▼ manuel	**manuel de service** / service manual (machine, outillage, auto)	guide d'entretien
▼ manufacturier	retourner la garantie au **manufacturier** / manufacturer	fabricant
➤ map	**map**	carte (d'un pays, d'une région), plan (d'une ville)
	revenir sur la **__** du hockey	remonter dans le classement, reprendre une place honorable, sortir du marasme
	tous les efforts entrepris pour mettre le Québec sur la **__**	mettre le Québec en valeur, donner de l'essor au Québec

	exemples de formes et d'emplois fautifs	formes correctes
▼ marchandise	**entrée des marchandises** / goods entrance (affiche d'un établissement commercial)	entrée de service, de livraison, de réception de la marchandise
	le ministère des Affaires extérieures conclut que le chef d'État n'a pas **livré la __** / has not delivered the goods (sens figuré)	tenu parole, promesse, respecté ses engagements
▼ marche	**prendre une marche** / to take a walk	faire une marche, un tour
▼ marché	**marché** Lebeau / market	épicerie (marché : lieu public où vendent plusieurs marchands)
	prix du __ / market price	prix courant
➤ marigold	**marigold**	œillet d'Inde
▼ marital	**statut marital** / marital status	état matrimonial
▲ marriage	**marriage**	mariage
▲ marshmallow	**marshmallow**	guimauve
➤ masking	**masking tape**	ruban-cache, papier-cache adhésif
➤ masonite	**masonite** (marque déposée)	panneau dur
➤ mass	le journal, la radio, la télévision sont des **mass medias**	médias (un média)
➤ master	**master class** (musique)	cours, atelier de maître, cours de virtuose, atelier d'interprétation musicale
	__ file, main file (informatique)	fichier maître, de base
➤ matcher	**matcher** des objets décoratifs ou des vêtements / to match	appareiller, harmoniser, assortir
▼ matériel	du **matériel** à vêtements / material	tissu, étoffe
	témoin **__** / material witness	oculaire

	exemples de formes et d'emplois fautifs	formes correctes
● maths	**maths**	maths (le « s » ne se prononce pas, contrairement à l'anglais)
▼ matière	c'est **matière** de goût / matter of taste	question, affaire
▼ matin	ils sont partis aux **petites heures du matin** / they left in the small hours of the morning	au petit matin, fort avant dans la nuit
➤ matrix	**dot matrix printer, — printer, dot printer** (informatique)	imprimante matricielle, par points
▼ mature	un tempérament **mature**	mûr, adulte
▼ maturité	**maturité** d'une police d'assurance / maturity	échéance
▼ mauvais	moteur, appareil **en mauvais ordre** / in bad order	en mauvais état, déréglé, détraqué
➤ MB	**megabyte, MB** (informatique)	mégaoctet, Mo
▲ M.D.	Lise Lachance, **M.D.** / Lise Lachance, M.D. (medical doctor)	Lise Lachance, médecin, Dr Lise Lachance
➤ mean	individu, comportement **mean**	petit, mesquin, bas
➤ meat	**smoked meat**	bœuf mariné fumé
➤ media	le journal, la radio, la télévision sont des **mass medias**	médias (un média)
▼ médication	remède qui contient une **médication** spéciale / medication	agent médical (médication : emploi du médicament)
➤ médium	grand, petit ou **médium**? / large, small or medium? (vêtement)	moyen
	bien cuit, saignant ou **—**? / well-done, rare or medium?	à point
▼ médium	les **médium** de communication que sont le journal, la radio, la télévision	médias (un média)

	exemples de formes et d'emplois fautifs	formes correctes
➤ meeting	nous avons un **meeting** demain	réunion, rencontre
➤ megabyte	**megabyte, MB** (informatique)	mégaoctet, Mo
◆ meilleur	le troisième **meilleur** marqueur / the third best	le troisième marqueur (seul le premier est le meilleur)
▼ meilleur	**au meilleur de ma connaissance** / to the best of my knowledge	pour autant que je sache, à ma connaissance, d'après ce que je sais
	au __ de ma mémoire / to the best of my memory	autant que je m'en souviens, que je m'en souvienne
	au __ de mon jugement / to the best of my judgment	autant que j'en puis juger, que j'en puisse juger
	au __ de ses capacités / to the best of one's ability	de son mieux, dans la pleine mesure de ses moyens
	avoir le __ sur / to get the best of	l'emporter sur, avoir l'avantage sur, vaincre, triompher de
	être à son __ dans tel domaine / to be at one's best	exceller, être au sommet de sa forme, au mieux
	procédé contraire aux **__ intérêts** de notre société / to the best interests of	intérêts fondamentaux, primordiaux, supérieurs
▼ mélange	**mélange à gâteau** / cake mix	préparation pour
▼ mélangé	**être mélangé, mêlé** / to be mixed up	ne pas, ne plus s'y retrouver, être embrouillé, perdu, tout perdu
▼ mélanger	**mélanger** la pâte / to mix	faire, pétrir (pour mélanger, il faut deux choses)

	exemples de formes et d'emplois fautifs	formes correctes
▼ mêlé	**être mêlé, mélangé** / to be mixed up	ne pas, ne plus s'y retrouver, être embrouillé, perdu, tout perdu
➤ melting pot	les États-Unis étaient reconnus comme un **melting pot** des nationalités	creuset
➤ membership	**membership** d'un parti, d'une entreprise	effectif
	payer son —	cotisation
▼ même	**même à ça** / even at that	même ainsi, même alors, malgré cela, même là
▼ mémoire	**au meilleur de ma mémoire** / to the best of my memory	autant que je m'en souviens, que je m'en souvienne
➤ memory	**buffer, buffer memory, buffer storage** (informatique)	mémoire tampon, tampon
	extended — (informatique)	mémoire physique étendue
◆ mener	les Expos **mènent 4 à 2** (l'absence de mot-lien forme l'anglicisme) / lead 4 to 2	mènent par 4 à 2
➤ menu	**format menu** (informatique)	menu des paramètres de disposition, de présentation
	help — (informatique)	menu d'assistance, d'aide
	main — (informatique)	menu principal
	pulldown —, **pull-down menu** (informatique)	menu déroulant
▼ mépris	**mépris de cour** / contempt of court	outrage au tribunal, à magistrat, offense aux magistrats
➤ merchandising	**merchandising**	techniques marchandes, marchandisage
▼ mérite	faire valoir le **mérite** de sa cause / the merit of one's case	bien-fondé

	exemples de formes et d'emplois fautifs	formes correctes
▼ mérite	discuter le ___ de la motion / the merit of the motion	fond, objet
	juger une proposition à **son** ___ / to judge a proposition on its merit	sur le fond
	juger une question, voter **au** ___ / on the merit	au fond, quant au fond
➤ message	**outgoing message** (informatique)	message sortant
	prompt, prompting ___ (informatique)	message guide-opérateur
▼ métal	**travailleur du métal en feuilles** / sheet-metal worker	tôlier
➤ meter	**meter** d'électricité, de taxi	compteur (d'électricité, de taxi), taximètre
▼ mettre	**mettre au vote** une question, une proposition / to put to the vote	mettre aux voix
	___ **l'épaule à la roue** / to put one's shoulder to the wheel	pousser à la roue
	___ **la pédale douce** / to put the soft pedal	y aller doucement, ne pas trop insister sur, ne pas exagérer, être prudent
	___ **sous arrêt** / to put under arrest	mettre en état d'arrestation, arrêter
➤ microcomputer	**microcomputer** (informatique)	micro-ordinateur
➤ microprocessor	**microprocessor** (informatique)	microprocesseur
▼ mieux	**espérer pour le mieux** / hope for the best	prenez confiance, soyez optimiste, ayez confiance que tout va s'arranger le mieux possible
➤ milk bar	**milk bar**	bar laitier
▼ mille	le gouvernement est **sur son dernier mille** / on its last mile	près de sa fin, à l'extrémité, au bout de son rouleau
▼ mi-mât	drapeau à **mi-mât** / half-mast	en berne

	exemples de formes et d'emplois fautifs	formes correctes
➤ mini-diskette	**diskette, mini-diskette** (informatique)	disquette
➤ minivan	**minivan** (véhicule)	fourgonnette tourisme, fourgonnette utilitaire
▼ minutes	**minutes** d'une assemblée	procès-verbal
	— **d'un procès** / minutes of a lawsuit	transcription des témoignages
	livre des — d'un conseil, d'un tribunal / minute-book	registre des délibérations
	livre des — d'une association, d'un organisme, etc.	registre des procès-verbaux
▼ mise	achat par **mise de côté** / lay aside purchasing	par anticipation
➤ mitt	**mitt** (baseball)	gant (de baseball)
➤ mixer	**mixer** (industrie)	malaxeur (à beurre, etc.), malaxeur à béton, bétonnière, malaxeur-broyeur
	— à boissons alcooliques	allongeur
	— (appareil électroménager)	malaxeur, mélangeur
	— des ingrédients, des boissons / to mix	battre, mélanger
	se — à un groupe nouveau	se mêler à
▲ Mme	**Mme** Suzanne Charbonneau / Mrs. Suzanne Charbonneau (dans l'en-tête ou sur l'enveloppe d'une lettre)	Madame Suzanne Charbonneau
▼ mode	**parade de mode** / fashion show	défilé de mannequins, de mode
	— **d'opération** d'un appareil / operation mode	notice d'utilisation, notice technique
▼ modèle	maison **modèle** / model home	maison témoin
▼ modérateur	avoir un **modérateur** pour diriger la discussion / moderator	animateur

165

	exemples de formes et d'emplois fautifs	formes correctes
▼ moi	**moi pour un** / I for one	quant à moi, pour ma part, à mon avis, personnellement
▼ moins	**rien moins que** mesquin / nothing less than	rien de moins que, absolument
▼ moment	les autorités ne sont pas prêtes, **à ce moment**, à engager le dialogue / at this moment	en ce moment, actuellement
➤ momentum	le **momentum** acquis par l'équipe sera-t-il suffisant?	l'élan pris par, la vitesse acquise par
	profitons du __	de l'impulsion du moment, des circonstances favorables
▼ monétaire	les clauses **monétaires** de la convention collective / the monetary terms	salariales (monétaire : relatif à la monnaie, non à l'argent)
	des tracas __ / monetary difficulties	pécuniaires, financiers
➤ monitor	**monitor** (informatique)	moniteur
➤ monitoring	**monitoring** (surveillance médicale à l'aide d'un moniteur)	monitorage
▼ montage	**ligne de montage, d'assemblage** / assembly line (usine)	chaîne de montage, chaîne de fabrication
▼ montant	un chèque, un mandat **au montant de** 50 $ / to the amount of	de, d'une somme de
	recevoir de gros __	de grosses sommes
▼ monter	**monter sur le banc** / to be raised to the bench	accéder à la magistrature, être nommé juge
▼ montrer	le rapport annuel **montre** un profit / the annual report shows a profit	indique, révèle
➤ mop	**mop**	vadrouille
➤ morning	**morning man, __ woman** (radiotélévision)	animateur matinal, animatrice matinale

	exemples de formes et d'emplois fautifs	formes correctes
▼ mot	on n'a jamais eu un seul **mot** avec eux / we never had any words with them	on ne s'est jamais disputés, querellés
	les __ d'une chanson / words of a song	paroles
▼ motion	motion de **non-confiance** / nonconfidence motion	de censure, de blâme
➤ motor inn	**motor inn**	motel autoroutier
➤ motto	**motto** d'un groupement, d'une maison de commerce	devise
▼ mouche	**mouche à feu** / firefly	luciole
▼ mouton	**mouton noir** / black sheep	brebis galeuse (de la famille)
▲ Mr.	**Mr.**	M. (Monsieur), MM. (Messieurs)
▲ Mrs.	**Mrs.** / Mrs., Ms.	Mme (Madame) Mmes (Mesdames)
➤ muffler	**muffler**	silencieux, pot d'échappement
➤ multiplexor	**multiplexor** (informatique)	multiplexeur
▼ mur	**tapis mur à mur** / wall-to-wall carpeting	moquette
▼ musique	**faire face à la musique** / to face the music	affronter la situation, faire front, prendre le taureau par les cornes
	__ **en feuilles** / sheet music	musique écrite, cahier de musique
➤ must	c'est un **must**	c'est à ne pas manquer, c'est à voir
▼ mystifiant	résultat **mystifiant** / mystifying result	déconcertant, déroutant

	exemples de formes et d'emplois fautifs	formes correctes
➤ N / A	N / A (not applicable)	S.O. (sans objet) (abréviation dans une formule pour indiquer qu'une question ou un article ne s'applique pas)
➤ name	**file name** (informatique)	nom de fichier
➤ naphta	du **naphta** servant de combustible dans les cuisinières de camping	naphte
➤ napkin	**napkin**	serviette de table
➤ naturopathe	**naturopathe** / naturopath	naturopraticien (sur le modèle de chiropraticien)
▼ négative	répondre **dans la négative** / to answer in the negative	par la négative, négativement
▲ négotiable	**négotiable**	négociable
➤ net	**net** (tennis, badminton)	filet
	__ à poissons	filet, épuisette (avec manche et cerceau)
	__ métallique	grillage
▼ nettoyeur	**nettoyeur** liquide / cleaner	détergent, détersif, nettoyant
➤ network	**network** (informatique)	réseau
	computer __ (informatique)	réseau d'ordinateurs
▼ neutre	être **au neutre** / to be in neutral	au point mort
▼ niche	cette entreprise occupe une **niche** bien précise dans le marché de l'électronique	créneau

	exemples de formes et d'emplois fautifs	formes correctes
➤ nil	**nil** (mot apparaissant dans des questionnaires, des relevés comptables)	néant
▲ No.	**No., #** (numéro) / No. (number)	N°, n°, no (sans ponctuation)
▼ noix	une **noix** pour faire tenir une vis / nut	écrou
▼ nom	**mon nom est**... / my name is... (téléphone)	ici..., je m'appelle..., je suis...
▲ nombres	**100,000 $** / $100,000 **2,000.95 $** / $2,000.95 **0.75 $** / $0.75 **8.15** / 8.15 (ponctuation décimale) **1,234,567** (ponctuation dans les nombres entiers)	100 000 $ (ni virgule, ni point) 2 000,95 $ (virgule) 0,75 $ (virgule) 8,15 (virgule) 1 234 567 (sans virgule)
▼ nominal	pour un prix **nominal** / nominal price	minime, très bas
▼ nomination	jour de **nomination** / nomination day (date où l'on doit inscrire sa candidature à une élection)	jour des déclarations de candidature, des mises en candidature, de la présentation des candidats
➤ nominer	film **nominé** au festival / nominated	sélectionné, mis en nomination
	cette actrice a été __ au dernier festival	sélectionnée, retenue
▼ non	contrat d'assurance __ **transférable** / nontransferable contract	incessible
	une **action** __ **votante**	sans droit de vote
◆ non	**si non réclamé**, retourner à l'expéditeur / if not claimed	en cas de non-livraison
▼ non-confiance	motion de **non-confiance** / nonconfidence motion	de censure, de blâme
➤ non-flammable	un produit **flammable, non-flammable** / flammable, nonflammable product	inflammable, ininflammable
➤ nonstop	voyage **nonstop** / nonstop travel	sans escale

	exemples de formes et d'emplois fautifs	formes correctes
▼ notice	afficher une **notice**	avis
	donner sa —	démission
	recevoir sa —	recevoir un avis de congédiement, être congédié, recevoir son congé
▼ notifier	**notifier qqn de qqch** / to notify sb of sth	notifier qqch à qqn
▼ nouvelles	donner une **conférence de nouvelles** / news conference	conférence de presse
➤ now	il vient me voir **now and then**	de temps en temps
➤ nowhere	un **nowhere**	randonnée sans destination, destination inconnue
➤ nozzle	**nozzle**	tourniquet (d'arrosage), arroseur (automatique), gicleur (de lave-glace)
➤ n.s.f.	chèque **n.s.f.** / (no sufficient fund)	chèque sans provision
▼ numéro	immeuble situé au **numéro civique** 1222 de la rue Sherbrooke / civic number (dans des textes administratifs et juridiques)	numéro
▲ numéro	**No., #** (numéro) / No. (number)	N°, n°, no (sans ponctuation)
	app. # 412	app. 412

	exemples de formes et d'emplois fautifs	formes correctes
▼ objecter	**s'objecter** à un projet (ne s'emploie pas à la forme pronominale) / to object	s'opposer, s'élever contre, se prononcer contre
▼ oblique	séparer deux mots par une **oblique**	barre oblique
▼ occurence	**occurence** du risque / occurence of loss (assurances)	réalisation du risque
▼ œil	**garder un œil sur** / to keep an eye on	surveiller, avoir l'œil sur, avoir, tenir à l'œil
➤ off	une journée **off**	libre, de congé
	je suis __ vendredi	en congé
	on - __ (appareil ou machine)	marche/arrêt (avec barre oblique)
	on - __ (robinetterie)	ouvert/fermé (avec barre oblique)
	__ **white**	blanc cassé
➤ off-line	**off-line** (informatique)	non connecté, hors ligne, autonome
	__ **processing** (informatique)	traitement en différé
▼ offense	l'**offense** dont l'accusée a été reconnue coupable	délit, faute, infraction, crime

	exemples de formes et d'emplois fautifs	formes correctes
▼ offense	__ **contre** les lois de la sécurité routière / offence against the laws	infraction aux
	__ **mineure** / minor offence	simple contravention, contravention
	prendre __ d'une remarque, d'un reproche / to take offence	se formaliser, se froisser, se choquer
➤ office	**office automation, __ data processing** (informatique)	bureautique
▼ office	s'adresser à l'**office** du motel	à la réception, au bureau
	les commissaires **en** __ étaient présents / in office	en fonction, en exercice
	terme d'__ / term of office (d'une conseillère, d'un maire)	durée des fonctions, période d'exercice, (durée) du mandat
▼ officier	il a **officié** au monticule aux deux derniers matchs / he officiated	a été au monticule, a été le lanceur, a lancé
	la première ministre va __ **à** l'ouverture des jeux / will officiate	présider
	officier de police / police officer	policier (officier : dans l'armée seulement)
	un __ de l'entreprise / officer	membre du bureau
	un __ du ministère	fonctionnaire
	__ de probation	agent de probation
	un __ du syndicat	membre de la direction, dirigeant, responsable
	__ **des douanes** / customs officer	douanier
	__ **rapporteur d'élection** / returning officer	directeur ou directrice du scrutin
▼ offrir	**offrir** un cours / to offer a course	donner

	exemples de formes et d'emplois fautifs	formes correctes
➤ offshore	exploration, pêche **offshore**	au large, en haute mer hauturière
➤ on	**on - off** (appareil ou machine)	marche/arrêt (avec barre oblique)
	__ - off (robinetterie)	ouvert/fermé (avec barre oblique)
➤ on-line	**on-line** (informatique)	connecté, en ligne
	__ processing (informatique)	traitement en direct
➤ one	**hole in one** (golf)	trou d'un coup
➤ one-man	**one-man show, one-woman show**	spectacle solo, un solo
➤ one-way	c'est un **one-way**	sens unique
➤ one-woman	**one-woman show, one-man show**	spectacle solo, un solo
➤ opener	**opener**	ouvre-bouteille, ouvre-boîte
➤ operating	**operating system** (informatique)	système d'exploitation
▼ opération	budget d'**opération** / operating budget	d'exploitation, de fonctionnement
	coûts d'__ d'une entreprise / operating costs	frais d'exploitation, de fonctionnement
	dépenses d'__ / operating expenses	d'exploitation
	directrice des__ / operations manager	de l'exploitation
	en __ / in operation	en exploitation (usine, mine), en activité (entreprise, usine), en service (ligne d'autobus), en application, en vigueur (plan, programme), en marche (machine)
	mode d'__ d'un appareil / operation mode	notice d'utilisation, notice technique
	profit d'__ / operating profit	profit, bénéfice d'exploitation

	exemples de formes et d'emplois fautifs	formes correctes
▼ opératrice	l'**opératrice** va me donner le numéro / the operator	le ou la téléphoniste
▼ opérer	commerce qui **opère** depuis deux mois / to operate	est ouvert, est en activité
	entreprise qui — au Québec	fait affaire, traite des affaires
	société qui — des bureaux, des usines, au Québec	a des bureaux, exploite des usines
	— un commerce	tenir
	— une entreprise	exploiter
	— un dispositif	actionner
	— un instrument de mesure	utiliser, se servir de
	— une machine	faire fonctionner, manœuvrer, conduire
▼ opinion	**opinion légale** / legal opinion	avis juridique, consultation juridique
	dans l'— de / in the opinion of	de l'avis de
	dans mon — / in my opinion	selon moi
▼ opportunité	profiter de l'**opportunité** / opportunity	occasion favorable (opportunité : caractère de ce qui est à propos, convenable)
	créer des — d'emploi / opportunities	possibilités d'emploi, emplois
	dans une grande ville, il y a plus d'—	occasions, chances, possibilités
▼ opposant	le champion poids lourd tend la main à son **opposant** / his opponent	adversaire
➤ optical	**digital optical disk, — digital disk** (informatique)	disque optique numérique, DON
	— **scanner, optical reader** (informatique)	lecteur optique

	exemples de formes et d'emplois fautifs	formes correctes
➤ opting	le gouvernement désire avoir recours à un **opting out**	option de retrait
▼ orage	un terrible **orage électrique** / electric storm	orage
➤ order	commande en **back order**	commande en souffrance, en retard (non livrée à la date prévue), reste de commande (partie d'une commande non encore livrée), livraison différée (livraison du reste d'une commande)
▼ ordre	la pizzeria n'a pas encore livré l'**ordre** / the order	la commande
	affaires, papiers **en ___** / in order	en règle
	devoir agir par ___ **de la cour** / by order of the Court	par autorité de justice, en vertu d'une ordonnance judiciaire, d'un jugement, d'une injonction du tribunal
	___ **en conseil** / Order in Council	arrêté ministériel (d'un ministère), décret gouvernemental (Conseil des ministres)
	être hors d'___ / to be out of order (assemblée délibérante)	faire un accroc au règlement, déroger au règlement, faire une intervention antiréglementaire, enfreindre les règlements
	la motion, la proposition, l'amendement était **dans l'___** / in order (assemblée délibérante)	dans les règles, recevable, réglementaire

	exemples de formes et d'emplois fautifs	formes correctes
▼ ordre	la motion, la proposition, l'amendement était **hors d'**___ / out of order (assemblée délibérante)	non recevable, irrecevable, antiréglementaire, contraire au règlement
	marchandise, moteur, appareil **en bon** ___ / in order	en bon état
	moteur, appareil **en mauvais** ___ / in bad order	en mauvais état, déréglé, détraqué
	rappeler à l'___ un député / to call to order	rappeler au règlement
	soulever un point d'___ / to raise a point of order	invoquer le règlement, faire appel au règlement, en appeler au règlement
➤ orégano	**orégano** (aromate alimentaire)	origan
▼ origine	être d'**origine ethnique** / to be of ethnic origin	d'origine étrangère, des néo-Canadiens (nous avons tous une origine ethnique)
➤ originer	le fait, le phénomène **origine** de / originates	provient de
	coutume qui a ___ au XIXe siècle / that originated during	remonte au
	le feu a ___ **de** / originated from	a pris naissance dans
▼ ou	le temps prévu pour ce soir : pluie **et/ou** neige / and/or	pluie ou neige, ou les deux à la fois, soit pluie ou neige, soit pluie et neige
➤ out	**out**	en dehors (ballon ou balle en dehors de la ligne), hors jeu (joueur), éliminé (concurrent)
	cet article est **sold** ___	en rupture de stock
➤ outfit	**outfit**	équipement, outillage

	exemples de formes et d'emplois fautifs	formes correctes
➤ outgoing	**outgoing message** (informatique)	message sortant
➤ outlet	**factory outlet** (commerce)	magasin d'usine
➤ output	**input/output**	impression/expression (communication), consommation/production (économie), entrée/sortie (électronique), intrants/extrants, entrée/sortie (informatique)
▼ ouvert	**ouvert 24 heures, 24 heures par jour /** 24-hr service	ouvert jour et nuit, jour et nuit (les deux expressions conviennent aux textes imprimés), 24 heures sur 24 (langue familière)
	ligne __ / open line (radiotélévision)	tribune téléphonique
▼ ouverture	l'entreprise offre des **ouvertures /** openings	emplois, postes vacants, perspectives d'emploi, débouchés, possibilités (en général)
▼ ouvrier	**force ouvrière /** labor force	population active
▼ ouvrir	**ouvrir** la conversation / to open conversation	engager
	__, fermer la ligne / to open, to close the line (téléphone)	décrocher, raccrocher
	__ les négociations / to open negotiations	entamer
	__ son discours / to open one's speech	commencer
▼ ovation	ovation **debout, standing ovation**	ovation
➤ over	**cash over** (comptabilité)	excédent de caisse
➤ overdose	**overdose**	surdose, dose excessive
➤ overdraft	il y a un **overdraft** dans votre compte	un découvert
➤ overflow	**overflow** (informatique)	dépassement de capacité

	exemples de formes et d'emplois fautifs	formes correctes
➤ overhead	**overhead** (comptabilité)	dépenses générales, d'administration
➤ overlay	**overlay** (informatique)	recouvrement
➤ overtime	**overtime**	heures supplémentaires
➤ overtyping	**overtyping** (informatique)	surfrappe
➤ overwriting	**overwriting** (informatique)	superposition, écrasement

	exemples de formes et d'emplois fautifs	formes correctes
➤ pacemaker	**pacemaker**	stimulateur cardiaque
➤ package	**package** (tourisme)	forfait
	__ deal (politique)	accord global, entente globale
➤ packing	**vacuum packing**	emballage sous vide
➤ packsack	**packsack**	sac à dos
➤ pad	**pad**	amortisseur, tampon amortisseur (auto, mécanique)
		bloc, bloc-notes (papier à écrire)
		bourrelet, genouillère, plastron (sport)
		butée, patin (ressort, frein)
		butoir (pare-chocs)
		coussin chauffant (soins)
		coussinet (divers)
		épaulettes (vêtements)
		tampon encreur (article de bureau)
➤ paddé	**paddé** / padded	rembourrées (épaules)
		matelassé (manteau)
		capitonné, rembourré (meuble)

	exemples de formes et d'emplois fautifs	formes correctes
➤ Pagette	**Pagette** / Pagette, paging system, paging unit, pager (marque déposée)	téléavertisseur, récepteur de recherche de personnes
▼ paiement	**reçu paiement** / received payment (sur facture)	pour acquit
	plan de ___ / payment plan	mode de paiement
▼ pain	**pain brun** / brown bread	pain bis, pain de son
	___ de blé entier / whole wheat bread	pain complet
▼ paire	une **paire de pantalons** / a pair of pants	un pantalon
▼ pamphlet	**pamphlet** touristique	prospectus, dépliant, brochure, de la documentation (pamphlet : écrit satirique)
➤ pan	**pan**	sauteuse (restauration), bac, évaporateur (industrie du sirop d'érable)
➤ panel	être au **panel**	à la tribune
	___ d'examinateurs	jury
	___ d'un congrès, d'un symposium	invités, experts
➤ panéliste	**panéliste** / panelist	participant, membre, congressiste, invité
▼ panique	pousser le **bouton panique** / panic button	sonner l'alarme, donner l'alerte
▼ pantalon	une **paire de pantalons** / a pair of pants	un pantalon
■ pantalon	mettre ses **pantalons** noirs / pants	son pantalon
➤ paper	as-tu du **liquid paper**?	correcteur, blanc correcteur

	exemples de formes et d'emplois fautifs	formes correctes
▼ papier	**papier brun** / brown paper	papier d'emballage
	__ de toilette / toilet paper	papier hygiénique
	__ oignon / onion skin paper	papier pelure
	__ sablé / sandpaper	papier émeri, de verre
➤ paqueté	salle, avion **paqueté** / packed	bondé
	assemblée **__**	faite, noyautée
	jeu de cartes, scrutin **__**	truqué
➤ paqueter	on a commencé à **paqueter** / to pack	faire ses bagages, ses valises
	être **__**, se **paqueter** / to get packed	être ivre, se soûler, s'enivrer
	se **__** un jeu en battant les cartes / to pack	se faire un jeu
➤ par	un **par** 3 (golf)	une normale 3
▼ par	**par affaires** / on business	pour affaires
	le pays est quatrième au classement international du revenu **__ tête de population** / per head of population	par habitant, par tête d'habitant
	livraison spéciale, __ livraison spéciale / by special delivery	livraison par exprès (prononcer comme « presse »), par exprès, exprès
	ouvert 24 heures, 24 heures __ jour / 24-hr service	ouvert jour et nuit, jour et nuit (les deux expressions conviennent aux textes imprimés), 24 heures sur 24 (langue familière)
◆ par	la table mesure 1 mètre **par** 2 mètres, 1 mètre **__** 2, 1 m **__** 2 m / 1 by 2	sur

	exemples de formes et d'emplois fautifs	formes correctes
◆ par	elle joue du piano ⎯ oreille / by ear	d'oreille
	si ⎯ **suite de** sa soumission le ministère lui accorde un contrat / if as a result of his tender a contract is awarded	si sa soumission est agréée et lui vaut un contrat
	si tu es intéressé ⎯ mon projet / if you are interested by	si mon projet t'intéresse
▼ parade	**parade de mode** / fashion show	défilé de mannequins, de mode
▼ paragraphe	**paragraphe** / paragraph (mot énoncé à la lecture d'une dictée)	aller à la ligne, à la ligne
	⎯ 15(1)(a) de la loi	alinéa
▼ parc	**parc d'amusement** / amusement park	parc d'attractions
▼ pareil	**trois cartes pareilles** ou **trois** ⎯ / three of a kind (jeu de trois cartes de même valeur, au poker)	un brelan
	quatre cartes ⎯ ou **quatre pareilles** / four of a kind (jeu de quatre cartes de même valeur, au poker)	un carré
➤ parity	**parity** (informatique)	parité
➤ parker	**parker** son auto / to park	stationner, garer, parquer
➤ parking	**parking**	stationnement, parc de stationnement
◆ parlant	**parlant** de politique, on nous confirme que le premier ministre donnera une conférence de presse / speaking of	à propos de (un participe, présent ou passé, placé en début de phrase, doit se rapporter au sujet du verbe de la proposition principale : ici, dans l'exemple d'incorrection, « parlant » et « on » n'ont aucun rapport)

	exemples de formes et d'emplois fautifs	formes correctes
▼ parler	**parler à travers son chapeau** / to talk through one's hat	parler sans connaissance de cause, parler à tort et à travers
	c'est Paul Fortin **qui __** / this is Paul Fortin speaking	Paul Fortin à l'appareil, ici Paul Fortin
	qui __? / who is speaking? (téléphone)	qui est à l'appareil?, de la part de qui?
▼ parole	**prendre la parole** de qqn / to take sb's word	se fier, s'en rapporter à la parole de
▼ part	avoir des **parts** / shares (dans une entreprise, à la bourse)	actions
	faire sa __ / to do one's part	collaborer à, contribuer à, appuyer, participer à qqch, fournir sa part
	prendre la __ de qqn / to take sb's part	prendre la défense de, le parti de, fait et cause pour
◆ participer	participer **dans** le débat / to participate in	au
▼ partie	ces chiffres ne révèlent qu'**une partie de l'histoire** / only a part of the story	aspect de la question, de la situation
	__ d'huîtres / oyster party	dégustation d'huîtres
	les **__** d'une machine / the parts	pièces
▼ partiel	travailler à **temps partiel** / to work part-time	à mi-temps
▼ partir	**partir** / **to start**	
	__ à son compte	se lancer, s'établir, se mettre à son compte
	__ (commerce, garderie)	ouvrir

	exemples de formes et d'emplois fautifs	formes correctes
▼ partir	__ (discussion, bataille)	lancer, engager, commencer
	__ (entreprise, association)	lancer, former, créer, fonder
	__ (mode, actrice, idée, rumeur, mouvement, moteur)	lancer
	__ (voiture, machine, moteur)	mettre en marche, démarrer, faire partir
▼ partition	les **partitions** de nos nouveaux locaux	cloisons
➤ partner	**partner** dans une entreprise	associée, associé
	__ au jeu, dans une danse	partenaire
➤ partnership	**partnership** (administration)	société de personnes
➤ party	**party**	fête, soirée, réception
▼ passe	**passe** pour entrer dans un édifice, pour visiter une exposition (anglicisme et archaïsme) / pass	laissez-passer, carte d'entrée
	__ d'autobus, de métro	carte, CAM (carte autobus-métro)
	__ de saison	abonnement, carte d'abonnement
	__ pour un spectacle	billet de faveur
▼ passé	le compte est **passé dû** / past due, overdue	en souffrance, échu
▼ passer	**passer** une loi (anglicisme et archaïsme) / to pass (domaine public)	voter, adopter
	__ des remarques, des commentaires / to pass remarks	faire

	exemples de formes et d'emplois fautifs	formes correctes
▼ passer	la joueuse s'est blessée, on devrait savoir aujourd'hui ce qui **se ＿ avec** elle / what is going on with	ce qui lui arrive, on aura de ses nouvelles aujourd'hui
	＿ le chapeau / to pass the hat	faire une collecte
	＿ un billet, une traite / to pass	souscrire (mais : passer une commande, passer un acte, un contrat)
	＿ un règlement (direction d'établissement)	établir, faire
➤ password	**password** (informatique)	mot de passe
▼ pastille	**pastilles pour la toux** / cough drops	pastilles pour la gorge
➤ patate	**stand de patates** / potato stand	friterie
▼ patate	on les laisse se débrouiller avec **la patate chaude** / hot potato	ce problème épineux, cette affaire embarrassante
	＿ sucrée / sweet potato	patate douce
➤ patch	**patch** (sur chambre à air, ballon)	pièce
	＿ antitabagique	disque, timbre transdermique, antitabagique, antitabac
➤ patchage	les mesures prises par l'administration, c'est du **patchage** / patching	rafistolage, replâtrage
➤ patcher	**patcher** / to patch	poser une pièce, mettre une pièce, rapiécer
▼ pâte	**pâte à dents** / toothpaste	pâte dentifrice, dentifrice
	poudre à ＿ / baking powder	levure chimique, levure artificielle
	soda à ＿ / baking soda	bicarbonate de sodium, de soude
➤ patent	cuir **patent** / patent leather	cuir verni

	exemples de formes et d'emplois fautifs	formes correctes
➤ patente	voici une de ses **patentes** / patent	inventions
	comment fonctionne cette ___?	dispositif, instrument, truc
➤ patenté	**patenté** / patented	breveté
■ patrôler	**patrôler** dans le centre-ville, en périphérie / to patrol	patrouiller
▼ patron	**patron** fleuri (robe, jupe) / pattern	dessin, motif
▼ patronage	les ministres s'adonnent au **patronage**	favoritisme (faveurs exercées envers des citoyens, des électeurs en général), népotisme (faveurs envers la famille, les amis)
■ patroniser	**patroniser** une entreprise, une candidature / to patronize	patronner
➤ pattern	**pattern**	modèle, schéma, configuration, processus, cheminement, déroulement, structure
➤ pause	**pause print** (informatique)	arrêt momentané d'impression
▼ paver	**paver la voie aux** discussions, aux négociations / to pave the way to	préparer, ouvrir la voie à
➤ pawnshop	**pawnshop**	mont-de-piété, maison de prêt sur gages
➤ pay-per-view	**pay-per-view** (télévision)	télévision à la carte
▼ payable	**billets payables** / bills payable	effets à payer
	compte ___, comptes payables / account payable, accounts payable	compte fournisseur, comptes fournisseurs (les deux expressions s'appliquent aux comptes eux-mêmes et au poste du bilan qui les regroupe)

	exemples de formes et d'emplois fautifs	formes correctes
▼ paye	**paye ou prime de séparation** / separation pay or allowance, severance pay	indemnité de cessation d'emploi, de départ, de licenciement, de fin d'emploi
▼ payé	**payé** / paid (inscription sur factures)	pour acquit
▼ payer	**payer** une visite à qqn (en général) / to pay	rendre, faire une visite
	le receveur __ **une visite** au lanceur (baseball)	va parler, va voir, va s'entretenir
	pour __ ou charger? / to pay or charge?	comptant ou crédit?, comptant ou au compte?
	__ **un** beau **compliment** / to pay a compliment	faire un compliment, complimenter, féliciter, rendre hommage
◆ payer	s.v.p., **payer la** serveuse (l'absence de mot-lien forme l'anglicisme) / please pay waitress	payer à la
	combien as-tu payé **pour** ça? / how much did you pay for that?	combien as-tu payé cela?
▼ payeur	**payeur de taxes** / taxpayer	contribuable
➤ PC	**PC, personal computer** (informatique)	ordinateur personnel, OP, ordinateur individuel
➤ peanut	beurre de **peanut** / peanut butter	beurre d'arachide
	ça ne vaut pas des __	ne vaut rien, pas grand-chose
▼ peau	**l'échapper par la peau des dents** / to escape by the skin of one's teeth	l'échapper belle, de justesse
➤ pécane	**pécane** / pecan	pacane
▼ pédale	**mettre la pédale douce** / to put the soft pedal	y aller doucement, ne pas trop insister sur, ne pas exagérer, être prudent

	exemples de formes et d'emplois fautifs	formes correctes
▼ pédale	__ à gaz / gas pedal (auto)	pédale d'accélérateur, accélérateur
➤ pedigree	**pedigree**	portrait, description, biographie, curriculum vitae
	donner le __ (personne)	décrire, dépeindre
	__ (animal de race)	généalogie
➤ peeling	**peeling**	exfoliation
▼ peines	**peines et souffrances** / pains and sufferings (subies par le plaignant, dans un procès)	douleurs physiques et morales
▼ pelouse	terrain de **piste et pelouse** / track and field	d'athlétisme
➤ pen	**light pen, light sensor** (informatique)	photostyle, crayon lumineux, crayon optique
	electronic __, stylus (informatique)	stylo électronique
▼ pension	**fonds de pension** / pension fund	caisse de retraite
	plan de __ / pension plan (offert par une entreprise à son personnel)	régime de retraite
➤ penthouse	**penthouse**	appartement (de) terrasse
➤ people	**boat people**	réfugiés de la mer
➤ pep	**pep**	fougue, entrain, élan, dynamisme, allant, vie
➤ pepper	**pepper** / to pep	donner de l'entrain, de l'enthousiame, mettre en train

exemples de formes et d'emplois fautifs	formes correctes
➤ per — **per capita**	par habitant, par tête
un __ **diem** / per diem allowance	indemnité quotidienne (pour frais de déplacement, séjour, représentation), prix de journée (assurance-hospitalisation)
➤ perforation — **perforation** (informatique)	moletage
➤ performer — ce joueur a très bien **performé** / has performed	a bien joué, a joué avec brio, a fait bonne figure, a brillé, s'est surpassé, a donné un excellent rendement, a joué un match exceptionnel
au travail, on veut nous voir __ sans cesse / performing	être compétitifs, compétitives
➤ permanent — **permanent file** (informatique)	fichier permanent
cycle __ **press** / permanent press cycle (appareils ménagers)	cycle apprêt permanent
tissu, vêtement __ **press** / permanent press fabric, clothing	infroissable
◆ permettre — **permettre** qqn de faire qqch (l'absence de mot-lien forme l'anglicisme) / to permit sb to do sth	permettre à qqn de faire qqch
➤ personal — **PC, personal computer** (informatique)	ordinateur personnel, OP, ordinateur individuel
▼ personne — **personne en charge** / person in charge	la ou le responsable
▼ perte — accident entraînant **perte de temps** / injury involving loss of time	accident entraînant absence du travail
__ **de pouvoir** / power failure	panne de courant, d'électricité
➤ pet — **pet shop**	animalerie

189

	exemples de formes et d'emplois fautifs	formes correctes
▼ petit	ils sont partis aux **petites heures du matin** / they left in the small hours of the morning	au petit matin, fort avant dans la nuit
▲ p.h.	20 **p.h.** (per hour)	20/h (20 à l'heure)
◆ pharmacie	**Lemieux Pharmacie** / Lemieux Pharmacy	Pharmacie Lemieux
➤ phoney	**phoney**	faux, artificiel, simulé
▼ physique	inventaire **physique** / physical inventory (des biens d'une entreprise)	matériel, extracomptable
➤ pickle	**pickles, dill __**	cornichons marinés, à l'aneth
➤ pickpocket	**pickpocket**	voleur à la tire
➤ pick-up	**pick-up**	enlèvement (marchandises)
➤ pickup	**pickup** (camion léger à caisse de transport ou à plateau découvert)	camionnette
▼ pilote	**pilote** / pilot (appareil de chauffage, cuisinière au gaz)	veilleuse
	lampe __ / pilot light (installation électrique, machine)	(lampe) témoin, témoin de contrôle
➤ pimp	**pimp**	souteneur
➤ pin	**pin**	ardillon (ceinture, courroie)
		broche (bijouterie)
		broche (machine-outil)
		cheville (tige de bois ou de métal pour boucher, assembler, accrocher)
		clavette (sorte de coin pour blocage)
		fiche (électricité)
		goujon (charnière)
		goupille (mécanisme)
	bobby __	pince à cheveux
	full __	à plein régime

	exemples de formes et d'emplois fautifs	formes correctes
➤ pin-feed	**pin-feed** (informatique)	entraînement par picots, à ergots
➤ pinotte	beurre de **pinotte** / peanut butter	d'arachide
▼ piquetage	**être sur la ligne de piquetage** / to be on picket lines	être aux piquets de grève
▼ piste	terrain de **piste et pelouse** / track and field	d'athlétisme
➤ pit	**pit**	carrière de gravier, gravière, carrière de sable, sablière
	— (d'une mine)	puits
	— (gradins d'un stade)	haut, sommet, galerie supérieure
➤ pitch	**pitch** (informatique)	pas d'impression
	sales — (publicité)	présentation
➤ pitcher	**pitcher** une balle, un objet quelconque / to pitch	lancer, envoyer
▼ place	je préfère vivre dans une grosse **place** comme Québec	ville
	La Malbaie est une bien belle —	localité, endroit, lieu, village
	l'exposition doit **prendre** — le 2 mars / is to take place	avoir lieu, se tenir
▼ placer	**placer** un appel téléphonique / to place	faire
	— une commande	passer
	— une question à l'ordre du jour	mettre, inscrire
	les faits — **devant** les membres du conseil / facts put before	soumis aux
	ne pas — qqn déjà vu / to place	remettre, situer qqn

	exemples de formes et d'emplois fautifs	formes correctes
◆ plaider	**plaider folie** (l'absence de mot-lien forme l'anglicisme) / to plead insanity	plaider la folie (mais : plaider coupable, plaider non coupable)
➤ plain	sandwich **plain** ou **toasté**?	nature ou grillé?
	cigarette __	à bout uni
	étoffe, chemise, tricot __	uni
	pizza, omelette __	simple, ordinaire
▼ plainte	**loger** une plainte / to lodge	déposer, porter plainte
▼ plaisir	**c'était mon plaisir** / it was my pleasure (formule qui suit un remerciement)	le plaisir est, était pour moi, tout le plaisir a été pour moi
▼ plan	**plan** d'indemnisation, d'allocations, d'épargne-retraite / plan	régime
	__ **conjoint** / joint plan (entre deux gouvernements)	programme à frais partagés, programme mixte
	__ d'assurance / insurance plan	police, contrat d'assurance
	__ de crédit / credit plan	contrat de crédit
	__ **de paiement** / payment plan	mode de paiement
	__ **de pension** / pension plan (offert par une entreprise à son personnel)	régime de retraite
▼ plancher	**1er plancher** / first floor	rez-de-chaussée
	3e __ / 3rd floor	3e étage
	échantillon de __ / floor sample (marchandise exposée dans une salle de montre)	article en montre
	tout le __ est consacré à l'informatique / floor	étage
	inventaire de __ / floor inventory	stocks courants
	gérante de __ / floor manager	chef d'étage
	avoir, prendre le __ / to have, to take the floor	avoir, prendre la parole
➤ planer	**planer** une exposition / to plan	projeter, organiser, planifier

	exemples de formes et d'emplois fautifs	formes correctes
➤ planning	**planning**	plan, planification, programme
▼ plant	tous les employés sont sortis du **plant**	de l'usine
➤ plaster	**plaster**	pansement adhésif, diachylon
➤ plastic	**plastic wood**	bois en pâte malléable
➤ plasticine	**plasticine** (marque déposée)	pâte à modeler
➤ plate	**plate**	marbre (baseball)
		plateau (de diverses machines)
		plaque (de métal)
▼ plate-forme	**plate-forme** du métro / platform	quai
▼ pleine	moteur lancé à **pleine capacité** / at full capacity	à plein rendement
▼ plomb	crayon de **plomb** / lead pencil	crayon à la mine, à mine de plomb
➤ plotter	**plotter** (informatique)	table traçante, traceur
➤ plug	la **plug** est sur le grand pan de mur	prise de courant, prise électrique
	la — du fil de la lampe est brisée	fiche (de connexion)
	une **free** — à la télévision	publicité larvée
➤ plugger	**plugger** un appareil / to plug	brancher
	se —	se mettre en valeur, se faire de la publicité, vanter ses propres mérites
▼ plus	la deuxième **plus grande** ville du Québec / the second largest	la deuxième ville en superficie ou en importance
	la troisième — **importante** industrie / the third most important	la troisième industrie en importance

PLYWOOD

	exemples de formes et d'emplois fautifs	formes correctes
▼ plus	la dixième __ **populeuse** ville au monde / the tenth most populous city	la dixième ville au monde pour la population, la ville qui vient au dixième rang, dans le monde, au point de vue de la population
	il est absent __ **souvent qu'autrement** / more often than not	la plupart du temps
➤ plywood	**plywood**	contreplaqué
▲ p.m.	défense de stationner - 7 à 9 **A.M.**, 4 à 6 **P.M.** / no parking - 7 to 9 A.M., 4 to 6 P.M. (les expressions *ante meridiem* et *post meridiem* empruntées au latin ne s'emploient pas en français)	7 h à 9 h, 16 h à 18 h
▼ poinçonner	il faut **poinçonner** à 8 h / to punch	pointer
▼ point	à ce **point**, il n'y a plus rien à faire / at this point	stade
	gagner son __ / to win one's point	avoir gain de cause
	l'automobiliste doit veiller à ne pas **perdre de** __ **de démérite** / demerit marks	accumuler de points d'inaptitude (on ne peut pas perdre de points d'inaptitude)
	les futures élections sont le __ **focal**	point de mire
	faire son __ / to make one's point (dans un débat)	faire prévaloir son point de vue, convaincre le public, convaincre ses interlocuteurs
	soulever un __ **d'ordre** / to raise a point of order	invoquer le règlement, faire appel au règlement, en appeler au règlement
▲ point	**100,000 $** / $100,000 **2,000.95 $** / $2,000.95 **0.75 $** / $0.75 **8.15** / 8.15 (ponctuation décimale)	100 000 $ (ni virgule, ni point) 2 000,95 $ (virgule) 0,75 $ (virgule) 8,15 (virgule)

194

	exemples de formes et d'emplois fautifs	formes correctes
▲ point	**31 décembre 1999.** (en tête d'une lettre, le point à la fin de la date forme l'anglicisme) / December 31,1999.	31 décembre 1999 (sans point)
	Monsieur Joseph Fox, **Les Produits Excellence ltée,** **112 rue Star,** **St-Félix.** / Mr. J. Fox, Excellence Products Ltd., 112 Star Street, St. Felix. (ponctuation dans la suscription d'une lettre)	Monsieur Joseph Fox Les Produits Excellence ltée 112, rue Star Saint-Félix (une virgule entre le numéro et le nom de la rue est la seule ponctuation requise)
➤ pointer	**pointer** (informatique)	pointeur
▼ poisson	être le **poisson** dans une affaire / fish	dindon de la farce, poire, dupe
➤ pole	**pole** à rideaux	tringle
	— avec laquelle on pousse un objet éloigné	perche
	— d'une tente	montant
	— de ski	bâton de ski
▼ poli	**poli** à ongles / nail polish	vernis (à ongles)
	— à chaussures / shoe polish	cirage (à chaussures)
▼ police	**officier de police** / police officer	policier
	— **montée** / mounted police	Gendarmerie royale du Canada
▼ politique	**se faire du capital politique** / to make capital of a political situation	favoriser ses intérêts politiques, exploiter à des fins politiques, se gagner des faveurs, des avantages politiques
■ politique	**science** — / political science	sciences politiques (plur.)
	les — économiques du gouvernement / the economic policies	la politique économique
➤ poll	**poll**	bureau de vote, de scrutin

	exemples de formes et d'emplois fautifs	formes correctes
▼ pomme	**pomme grenade** / pomegranate	grenade
	sauce aux __ / apple sauce	compote de pommes, purée de pommes
▲ ponctuation	**31 décembre 1999.** (en tête d'une lettre, le point à la fin de la date forme l'anglicisme) / December 31,1999.	31 décembre 1999 (sans point)
	vendredi, **le** 31 décembre 1999 / Friday, the 31st of December	le vendredi 31 décembre 1999 (sans virgule)
	408 rue Leblanc (l'absence de ponctuation forme l'anglicisme) / 408 Leblanc St.	408, rue Leblanc (virgule)
	Monsieur Joseph Fox, **Les Produits Excellence ltée,** **112 rue Star,** **Saint-Félix.** / Mr. J. Fox, Excellence Products Ltd., 112 Star Street, St. Felix. (ponctuation dans la suscription d'une lettre)	Monsieur Joseph Fox Les Produits Excellence ltée 112, rue Star Saint-Félix (une virgule entre le numéro et le nom de la rue est la seule ponctuation requise)
	100,000 $ / $100,000 **2,000.95 $** / $2,000.95 **0.75 $** / $0.75 **8.15** / 8.15 (ponctuation décimale)	100 000 $ (ni virgule, ni point) 2 000,95 $ (virgule) 0,75 $ (virgule) 8,15 (virgule)
	1,234,567 (ponctuation dans les nombres entiers)	1 234 567 (sans virgule)
➤ pool	**pool** (la mise ou l'enjeu déposé par des amateurs de sport avant un match ou une compétition)	poule, enjeu, cagnotte
	faire partie d'un **car __**	faire du covoiturage, faire partie d'un groupe de covoiturage
	table de __	billard
➤ popcorn	**popcorn**	maïs soufflé, maïs éclaté

	exemples de formes et d'emplois fautifs	formes correctes
▼ population	le pays est quatrième au classement international du revenu **par tête de population** / per head of population	par habitant, par tête d'habitant
▼ populeux	la dixième **plus populeuse** ville au monde / the tenth most populous city	la dixième ville au monde pour la population, la ville qui vient au dixième rang, dans le monde, au point de vue de la population
➤ portable	ordinateur **portable**	portatif
➤ porterhouse	**porterhouse** (steak)	gros filet
▼ positif	être **positif** qu'une chose existe, que les faits sont tels / to be positive	certain, convaincu, absolument sûr, catégorique
▼ position	perdre sa —	poste, emploi, situation, place (mais : position s'emploie au sens de position sociale)
	jouer **les deux** — / to play both positions (hockey)	à l'aile gauche et à l'aile droite, aux deux ailes
▼ positionner	il cherche à **se positionner** pour les cent derniers mètres / to position	se placer, se poster (mais : on peut positionner une pièce de machine, un produit sur le marché)
▼ positivement	il est **positivement** interdit d'entrer sans lunettes de protection / positively	formellement, rigoureusement
	elle a — refusé de participer	catégoriquement
▼ possession	les **possessions** du défendeur / belongings	effets, affaires

	exemples de formes et d'emplois fautifs	formes correctes
➤ possiblement	**possiblement** / possibly	probablement, peut-être bien, éventuellement, dans l'éventualité de, au cas où, si c'est possible, il est possible que
▼ postal	**livraison postale** / postal delivery	distribution du courrier
➤ poster	**poster**	affiche
➤ postgradué	études **postgraduées** / postgraduate studies	postuniversitaires, avancées
➤ postmortem	faire le **postmortem** d'un événement	autopsie, analyse, examen
➤ pot	**pot**	marijuana, mari
	— (jeu)	cagnotte
➤ pouding	**pouding** à la vanille, au chocolat / pudding	crème
▼ poudre	**poudre à pâte** / baking powder	levure chimique, levure artificielle
▼ pour	**appliquer, faire application pour, sur** un emploi / to apply for a job, to make an application	postuler, solliciter un emploi, faire une demande d'emploi, offrir ses services, poser sa candidature à un emploi, remplir une formule de demande d'emploi
	appliquer — une subvention / to apply for a grant	demander une subvention, faire une demande de, adresser une demande de, présenter une demande de
	avec comme, avec — résultat que / with the result that	de sorte que, de telle sorte que, en conséquence

exemples de formes et d'emplois fautifs	formes correctes
▼ pour	
ces faits ont été soumis ___ **réflexion** aux membres / were submitted for reflection to	ont été soumis aux membres, à l'attention des membres, afin qu'ils y réfléchissent
collecte ___ **le bénéfice** des handicapés / for the benefit of	au profit, à l'intention, au bénéfice, en faveur
compenser les producteurs ___ leurs pertes / to compensate the producers for their losses	compenser les pertes des producteurs, dédommager, indemniser les producteurs de leurs pertes
écrire ___ des renseignements / to write for	envoyer une demande de renseignements, demander des renseignements par écrit
elle **regarde** ___ son foulard / looking for	regarde pour trouver, cherche, regarde si son foulard est là
espérer ___ **le mieux** / hope for the best	prenez confiance, soyez optimiste, ayez confiance que tout va s'arranger le mieux possible
je vous envoie un texte ___ **publication**	à publier
l'entreprise paie ___ les repas et l'**accommodation** pendant les déplacements / for accommodation	paie les repas et le logement, les repas et la chambre
l'équipe **y va** ___ un autre match / goes for (sport)	jouera un autre match
les contenants ne peuvent être retournés ___ **crédit** / are not returnable for credit	contenants non consignés, non repris
moi ___ **un** / I for one	quant à moi, pour ma part, à mon avis, personnellement

	exemples de formes et d'emplois fautifs	formes correctes
▼ pour	nous vous faisons parvenir, __ **votre information** / for your information	à titre d'information, de renseignements, pour information
	plusieurs pensent que la TPS **est là** __ **rester** / is there to stay	est là pour de bon, est une chose acquise
	__ **aucune considération** / on no consideration	à aucun prix, pour quelque motif que ce soit, pour rien au monde, sous aucun prétexte
	__ **couper court** / to cut short	en bref, pour être bref, pour résumer (couper court à qqch : interrompre au plus vite)
	__ **faire l'histoire courte** / to make the story short	pour être bref
	__ **les fins** / for the purpose of	aux fins de, pour les besoins de
	__ **payer ou charger**? / to pay or charge?	comptant ou crédit?, comptant ou au compte?
	__ **une chose**, ils n'ont pas montré d'intérêt, puis ils voulaient des personnes d'expérience / for one thing	tout d'abord, entre autres raisons, facteurs
	une pension __ **la vie**, être condamné __ **la vie** / for life	à vie
	vôtre __ 20 $ / yours for $20	prix : 20 $
◆ pour	les demandes **pour du** matériel / requisitions for	demandes de
	attendez __ une caisse libre / wait for (banque)	attendez qu'une caisse soit libre
	combien as-tu payé __ ça? / how much did you pay for that?	combien as-tu payé cela?
	composez 791-4251 __ le garage / dial... for	pour atteindre le, pour communiquer avec le
	faire mijoter __ 20 minutes / for 20 minutes	pendant

	exemples de formes et d'emplois fautifs	formes correctes
◆ pour	il est impossible — la compagnie d'accorder cela à son personnel / impossible for the company	il est impossible à
	il y a un besoin — de nouvelles installations / a need for	un besoin de
	nos meilleurs vœux — **une** bonne année / our best wishes for a happy new year	de bonne année
	on a fait une commande — 100 tubes / an order for	commande de
	réservé — la présidente-directrice générale / reserved for	réservé à
	soumissionner — des travaux / to tender for	soumissionner des travaux
	veuillez trouver ci-joint notre chèque de 50 $, **étant** — le paiement de... / enclosed... $50, being for the payment of	ci-inclus un chèque de 50 $ représentant le montant de notre dette
◆ pourcentage	un demi **de un** pour cent (« de un » forme l'anglicisme) / one half of 1 %	un demi pour cent
◆ pourquoi	c'est la raison **pourquoi** j'agis ainsi / the reason why	pour laquelle
▼ pouvoir	le **pouvoir** développé par une machine / the power delivered	puissance
	le — consommé par une machine / the power consumption of	énergie
	le — de Beauharnois / the power station	centrale hydroélectrique, centrale électrique
	perte de — / power failure	panne de courant, d'électricité
➤ power steering	**power steering** (auto)	direction assistée, servodirection
➤ power-brake	**power-brakes** (auto)	freins assistés, servo-freins

	exemples de formes et d'emplois fautifs	formes correctes
▼ pratique	une heure de **pratique** / practice	répétition, exercice, entraînement (selon le cas)
	— **légale** / legal practice	pratique du droit, exercice du droit
▼ pratiquer	**pratiquer** une pièce de théatre, un numéro de chant / to practice	répéter
	— la danse, son piano, son revers (tennis)	s'exercer à, travailler
	— le judo, la natation	s'entraîner à, s'exercer à
➤ préadressé	enveloppe **préadressée** / preaddressed envelope	enveloppe-réponse
➤ précondition	**précondition** / precondition	condition préalable, préalable
▼ préférentiel	**action préférentielle** / preferred share (finance)	action privilégiée (mais une situation privilégiée permet le bénéfice d'un traitement préférentiel)
	dette — / preferential debt	créance privilégiée
▼ préjudice	avoir un **préjudice** contre qqn, qqch / to have a prejudice against sb, sth	préjugé, parti pris
	sans — **à** / without prejudice to (droit)	sous toutes réserves, sans aveu de responsabilité
▼ préjugé	être **préjugé** contre qqch / to be prejudiced against	être prévenu, prédisposé, avoir des préjugés, des préventions, des idées préconçues
▼ prémarital	rencontres **prémaritales** / premarital	préconjugales
◆ premier	les **premiers cinq** mois / the first five months	les cinq premiers mois (l'adjectif numéral accompagné du mot premier se place toujours avant celui-ci)

	exemples de formes et d'emplois fautifs	formes correctes
▼ premier	**premier nom** / first name	prénom
	__ **plancher** / first floor	rez-de-chaussée
➤ prendre	**prendre un break** / to take a break	faire une pause
▼ prendre	**avoir, prendre le plancher** / to have, to take the floor	avoir, prendre la parole
	__ **action** / to take action	passer à l'action, prendre une initiative, des mesures, faire qqch (ex. : pour résoudre un problème)
	__ **ça aisé** / to take it easy	ne pas s'en faire, en prendre à son aise, prendre son temps, se la couler douce
	__ **charge de** qqn ou de qqch / to take charge of	prendre qqn ou qqch en charge ou à sa charge, se charger de
	__ **des chances** / to take chances	courir des risques, prendre des risques (mais : tenter ou courir sa chance au jeu)
	__ des démarches / to take steps	faire
	__ **en compte** / to take into account	tenir compte de qqch, avoir égard à qqch
	__ **force** / to come into force	entrer en vigueur
	l'exposition doit __ **place** le 2 mars / is to take place	avoir lieu, se tenir
	__ **la parole** de qqn / to take sb's word	se fier, s'en rapporter à la parole de
	__ **la part** de qqn / to take sb's part	prendre la défense de, le parti de, fait et cause pour
	__ **le plancher** / to take the floor	prendre la parole

	exemples de formes et d'emplois fautifs	formes correctes
▼ prendre	— **le vote** (de grève) / to take the vote	procéder au scrutin, au vote (de grève), passer au vote (de grève), voter (la grève), faire voter (la grève)
	— **offense** d'une remarque, d'un reproche / to take offence	se formaliser, se froisser, se choquer
	— **par surprise** / to take by surprise	surprendre, prendre à l'improviste, au dépourvu
	— **qqch pour acquis** / to take sth for granted	tenir qqch pour acquis, pour certain, présupposer, admettre au départ, poser en principe, admettre sans discussion
	— **qqn pour acquis** / to take sb for granted	traiter qqn en quantité négligeable, ne tenir aucun compte de qqn
	— **un cours** / to take a course	suivre un cours
	— **une action, des procédures contre** qqn / to take action, proceedings against	actionner qqn, intenter un procès à, des poursuites contre, poursuivre, citer en justice, poursuivre, engager, exercer des poursuites, engager, entamer, intenter une procédure contre, aller en justice
	— une assurance / to take out an insurance	contracter, souscrire une assurance, s'assurer
	— une marche / to take a walk	faire une marche, un tour

	exemples de formes et d'emplois fautifs	formes correctes
▼ prendre	veuillez __ **avis** de la nouvelle version du règlement / to take notice of	prendre connaissance, acte
	vouloir __ **avantage** de ce droit, de cette possibilité / to take advantage of	profiter de, se prévaloir de, tirer parti de
➤ prérequis	**prérequis** / prérequisite	préalable, qualifications préalables
▼ prescription	donner la **prescription** du médecin à la pharmacienne	ordonnance
▼ préservatif	ne contient aucun **préservatif** / preservative	agent de conservation
➤ press	cycle **permanent press** / permanent press cycle (appareils ménagers)	cycle apprêt permanent
	tissu, vêtement **permanent __** / permanent press fabric, clothing	infroissable
▼ presse	**aller sous presse** / to go to press	mettre sous presse
	coupures de __ / press clippings	coupures de journaux
	l'opinion de la __ **ethnique** / ethnic press	des journaux des minorités ethniques, de la presse néo-québécoise
▼ presser	**presser** son costume / to press	repasser
▼ pression	**pression sanguine** / blood pressure	tension artérielle
	basse __ / low pressure (tension artérielle)	hypotension
	haute __ / high pressure (tension artérielle)	hypertension
➤ prestone	**prestone** (marque déposée)	antigel
▼ prévaloir	la lune de miel qui **prévaut** entre les gouvernements fédéral et provinciaux / that prevails	a cours, existe, règne (prévaloir : l'emporter sur)
	le tarif **prévalant** / the tariff that prevails	actuel, courant, pratiqué, en vigueur

	exemples de formes et d'emplois fautifs	formes correctes
▼ prévenir	nous n'avons pu **prévenir** l'accident / could not prevent	éviter
➤ preview	je n'ai pas vu le film, seulement les **previews**	bande-annonce
➤ prime	**prime rate** (finance)	taux préférentiel, de base
	—— time (radiotélévision)	heures de pointe, de grande écoute
▼ prime	**prime** ou **paye de séparation** / separation pay or allowance, severance pay	indemnité de cessation d'emploi, de départ, de licenciement, de fin d'emploi
➤ primer	**primer** (peinture)	apprêt, couche de fond
➤ print	**pause print** (informatique)	arrêt momentané d'impression
➤ printer	**printer** (informatique)	imprimante
	dot matrix ——, matrix ——, dot printer (informatique)	imprimante matricielle, par points
	ink-jet —— (informatique)	imprimante à jet d'encre
	laser —— (informatique)	imprimante laser, à laser
	line —— (informatique)	imprimante par ligne
➤ printout	**printout** (informatique)	sortie sur imprimante, imprimé
➤ priority	**top priority** (mention sur documents)	priorité absolue
➤ privé	**bill privé** / private bill	projet de loi d'intérêt particulier (ou d'intérêt privé)
▼ privé	cours, secrétaire **privé** / private secretary	particulier
	endroit **——** / private place	retiré, isolé

	exemples de formes et d'emplois fautifs	formes correctes
▼ privilège	**privilège** que vaut la garantie / privilege provided by the benefit (assurances)	avantage
	— **d'assurance libérée** / reduced paid-up insurance privilege	droit de réduction
	— **d'assurance temporaire prolongée** / extended term insurance privilege	droit de prolongation
▼ privilégié	formes et coupes **privilégiées** : longues et droites / privileged (haute couture)	sélectionnées, retenues
▼ prix	**prix coupé** / cut price	prix réduit
	ces marchandises vous sont offertes à — **d'épargne** / at savings price	prix économique
	— **d'admission** à un spectacle / price of admission	prix d'entrée, entrée, droit d'entrée
	— **d'escompte** / discount price	prix minimarge
	— **de liste** / list price	prix courant, de catalogue
	— **du marché** / market price	prix courant
	— **spécial** / special price	prix de solde, prix réduit
▼ probation	employée **en probation** / in probation	en période d'essai
	vous pouvez commander cet article en —	à l'essai, sous condition
	officier de — / probation officer	agent de probation
	système de la — / probation system	régime de la mise en liberté surveillée, régime de la liberté surveillée

	exemples de formes et d'emplois fautifs	formes correctes
▼ procédure	**prendre une action, des procédures contre** qqn / to take action, proceedings against	actionner qqn, intenter un procès à, des poursuites contre, poursuivre, citer en justice, poursuivre, engager, exercer des poursuites, engager, entamer, intenter une procédure contre, aller en justice
➤ procedure	**abort, aborting procedure** (informatique)	abandon, procédure d'abandon
▼ procès	**envoyer** qqn **à son procès** / to send sb to trial	inculper, mettre en accusation, renvoyer devant les tribunaux
	minutes d'un __ / minutes of a lawsuit	transcription des témoignages
➤ process	**process cheese**	fromage fondu
➤ processing	**processing** (informatique)	traitement
	batch __ (informatique)	traitement par lots, en différé, différé, en temps différé, groupé, hors ligne
	information __ (informatique)	traitement de l'information
	off-line __ (informatique)	traitement en différé
	office automation, office data __ (informatique)	bureautique
	on-line __ (informatique)	traitement en direct
	word __ (informatique)	traitement de texte
➤ processor	**processor** (informatique)	processeur
◆ prochain	au cours des **prochaines 12** années / during the next 12 years	au cours des 12 prochaines années

	exemples de formes et d'emplois fautifs	formes correctes
◆ proclamé	il est le deuxième à **être proclamé** le joueur le plus utile à son équipe / to be proclaimed	qu'on proclame, à recevoir le titre de
▼ professionnel	un ou une **professionnelle** / professional	membre d'une profession libérale, spécialiste
➤ profile	être **low profile** / to keep a low profile	être discret, agir sans attirer l'attention, discrètement, sans chercher à se faire remarquer, essayer de ne pas se faire remarquer
	user __ (informatique)	profil d'utilisateur
➤ program	**application program** (informatique)	programme d'application
	utility __ (informatique)	programme utilitaire, de service
▼ programme	**programme** de télévision / program	émission
▼ progrès	le recensement est **en progrès** / in progress	en cours, en marche
	rapporter __ / to report progress	exposer l'état de la question, conclure, résumer, clore les débats, lever la séance
▼ pro-maire	**pro-maire** / pro-mayor	maire suppléant, mairesse suppléante
➤ promissoire	billet **promissoire** / promissory note	billet (à ordre), au porteur, à vue
▼ promouvoir	**promouvoir** un article / to promote	faire de la publicité à, faire de la réclame pour
➤ prompt	**prompt, prompting message** (informatique)	message guide-opérateur
➤ prospect	**prospect**	client potentiel

	exemples de formes et d'emplois fautifs	formes correctes
▼ provision	**provision** (droit)	disposition, prescription (loi), clause, stipulation (acte)
▼ publication	je vous envoie un texte **pour publication**	à publier
➤ publiciser	**publiciser** une décision, un nouveau service / to publicize	rendre public, faire connaître, annoncer
➤ puck	**puck** (hockey)	rondelle, disque
➤ puff	une **puff** de cigarette	touche, bouffée
➤ pulldown	— **menu, pull-down menu** (informatique)	menu déroulant
▼ pulpe	on obtient la **pulpe** ou la — **de bois** par des procédés mécaniques et chimiques / woodpulp	pâte à papier, pâte de bois
	bois de — / pulpwood	bois à pâte, de papeterie
➤ punch	**punch**	emporte-pièce (outil à découper)
		perçoir (outil à percer)
		poinçon (outil pointu)
		pointeau (poinçon en acier)
	une annonce publicitaire qui a du **punch**	qui frappe, a du mordant
➤ puncher	**puncher** qqn / to punch	flanquer un coup de poing
	— à l'emporte-pièce	percer
	— une feuille	perforer
	— à l'usine, au bureau	pointer (la carte de présence), se pointer (à l'usine, au bureau)
▲ punches	**punches** (boissons)	punchs
➤ punching bag	**punching bag** (pour l'entraînement des boxeurs)	sac de sable
➤ punching ball	**punching ball**	ballon de boxe
➤ pusher	**pusher**	revendeur de drogue

	exemples de formes et d'emplois fautifs	formes correctes
➤ pushing	il faut du **pushing** pour obtenir cet emploi	relations, influences, piston
➤ push-up	faire des **push-ups**	tractions (au sol), tractions
➤ put	**put** (golf)	roulé
● pyjama	**pyjama**	pyjama (prononcer « pijama » et non « pidjama »)
■ pyromaniaque	**pyromaniaque** / pyromaniac	pyromane

	exemples de formes et d'emplois fautifs	formes correctes
➤ Q-tip	**Q-tip** (marque déposée)	cure-oreille, coton-tige
▼ qualification	**qualifications** requises pour occuper un emploi	qualités, formation, compétence
◆ quand	trois personnes furent tuées **quand** un réservoir a explosé / when a tank blew up	à la suite de l'explosion d'un réservoir, par l'explosion d'un réservoir
	ne pas dépasser ce véhicule __ **arrêté** / do not pass when stopped	quand il est arrêté, à l'arrêt
	un camionneur s'est noyé __ son véhicule a plongé dans le fleuve / a trucker drowned when	après que son véhicule eut plongé
■ quartier	les **quartiers généraux** de l'armée, de la police / headquarters	quartier général (sing.)
▼ quatre	camionnette, jeep **quatre par quatre** / four by four, 4 × 4	à quatre roues motrices, quatre-quatre
▼ que	nous connaîtrons le nom des gagnants **alors que** le tirage aura lieu aujourd'hui / when	à l'issue du tirage
	la personne __ j'ai parlé **avec** / the person I talked with	avec qui j'ai parlé
	le stylo __ j'écris **avec** / the pen I am writing with	avec lequel j'écris
	une recommandation du bureau des commissaires __ le gouvernement soit prié d'adopter cet emblème / a recommendation that	voulant que

	exemples de formes et d'emplois fautifs	formes correctes
▲ Qué.	**Qué.** (Québec) / Que (Quebec)	QC (on peut abréger les noms de pays ou de provinces, dans un tableau statistique. Dans une adresse, ces noms s'écrivent au long)
➤ queen	lit **queen size**	grand format
▼ question	**demander une question** / to ask a question	poser une question, demander qqch
	il est **hors de ___** que la requête soit retirée / out of question	il ne saurait être question que, il n'est pas question que
➤ questionnable	ce point est **questionnable** / questionable	discutable, contestable, douteux, incertain
▼ questionner	**questionner** un compte, une déclaration, une décision / to question	poser des questions au sujet de, vérifier, critiquer, examiner, mettre en doute, contester, remettre en question
➤ queue	**coat à queue** / tail coat	tenue de gala, costume de cérémonie, habit
▼ qui	qui **appelle**? / who is calling? (téléphone)	qui est à l'appareil?, de la part de qui?
➤ quick lunch	**quick lunch**	casse-croûte, restaurant-minute
➤ quit	**quit** (informatique)	cessation
➤ quiz	**quiz**	jeu-questionnaire (télévision), questionnaire (magazine), examen pratique (université)
▼ quoi	je ne sais pas si je l'achèterai, ou **quoi** / or what	ou si je prendrai une autre décision, je ne sais pas trop si je l'achèterai

R

	exemples de formes et d'emplois fautifs	formes correctes
➤ rack	**rack**	cadre (structure métallique)
		claie, clayon, clayette (fruits, bouteilles)
		casier, étagère à bouteilles (vin)
		égouttoir (vaisselle)
		galerie (sur le toit), porte-bagages, porte-skis (auto)
		panier (lave-vaisselle)
		panier à couverts (couteaux, fourchettes, cuillers)
		porte-bagages (autobus, avion)
		portemanteau (vêtements)
		ridelle (camion)
		support à claire-voie, claie (caisse, cageot)
➤ racket	**racket**	vol, escroquerie
➤ raid	**raid** de police	descente, rafle (comportant arrestation massive)
◆ raison	c'est la raison **pourquoi** j'agis ainsi / the reason why	pour laquelle

	exemples de formes et d'emplois fautifs	formes correctes
▼ raison	**raisons** du jugement / reasons (droit)	motifs du jugement (dans les textes de procès, le mot motif est toujours pluriel)
▼ rajuster	**rajuster** un tarif / to readjust	remanier
▼ ralliement	l'équipe a fait un beau **ralliement** / to achieve a rally	a fait un effort de dernière heure
▼ rappeler	**rappeler** une loi / to repeal an act	abroger
	__ **à l'ordre** un député / to call to order	rappeler au règlement
▼ rapport	j'ai reçu un appel **en rapport avec** l'accident / in connection with	relativement à, au sujet de
▼ rapporter	**rapporter** un accident à la police / to report	signaler
	__ des blessés	compter
	__ **progrès**	exposer l'état de la question, conclure, résumer, clore les débats, lever la séance
	__ qqn à la police	dénoncer, déclarer
	se __ à un supérieur, aux autorités	se présenter à, se signaler à
	se __ malade	se porter
▼ rapporteur	**officier rapporteur d'élection** / returning officer	directeur ou directrice du scrutin
	sous-officier __ / deputy returning-officer	scrutateur
➤ raqué	**être raqué** / to be racked	courbaturé, fatigué, moulu, éreinté
➤ rate	**prime rate** (finance)	taux préférentiel, de base
➤ rating	**rating**	classement, évaluation, indice de performance

215

	exemples de formes et d'emplois fautifs	formes correctes
▼ rayon	passer aux **rayons X** / an X-ray	radiographie, radioscopie, radio
	magasin à __ / department store	grand magasin (rayon : section de magasin)
▲ razoir	**razoir** / razor	rasoir
➤ re	**re** : (dans une lettre, une note)	objet :
➤ reader	**optical scanner, optical reader** (informatique)	lecteur optique
➤ readership	le périodique connaît un **readership** fidèle	lectorat
➤ ready mix	**ready mix**	béton préfabriqué, liquide, camion-mélangeur
▼ réalignement	**réalignement** / realignment (sens figuré)	rajustement, reconsidération, révision (d'une politique)
▼ récent	au cours des **récentes** années / during the recent years	dernières
▼ réception	la **réception** est bonne / reception (télévision)	image
▼ recevable	**billets recevables** / bills receivable	effets à recevoir
	compte __, comptes recevables / account receivable, accounts receivable	compte débiteur, comptes débiteurs (les deux expressions s'appliquent aux comptes eux-mêmes et au poste du bilan qui les regroupe)
▼ réclamation	faire une **réclamation** / to make a claim	demande de règlement
	le décès constitue une __ / a claim	sinistre
	note de __ / notice of claim	avis de sinistre, déclaration de sinistre
	paiement de __ / payment of claim	sommes assurées, prestations, indemnités
	s'il n'y a pas de __ / if there is no claim	si le risque ne se réalise pas

	exemples de formes et d'emplois fautifs	formes correctes
◆ réclamé	**si non réclamé**, retourner à l'expéditeur / if not claimed	en cas de non-livraison
▼ réclamer	les factions ennemies **réclament** la chute d'un avion gouvernemental / claim	s'attribuent, prétendent, affirment avoir abattu
▲ recommendation	**recommendation**	recommandation
▼ réconcilier	**réconcilier** des comptes / to reconcile accounts	faire concorder, faire cadrer, rapprocher, apurer
➤ reconditionné	machine, voiture **reconditionnée** / reconditionned	remise en état, à neuf, réusinée
➤ record	**record**	archives (société)
		casier judiciaire
		enregistrement (informatique)
		fiche (santé, performance)
		livres (services financiers)
		minutes (acte notarié)
		registre (comptabilité, présence)
➤ recorder	**tape recorder**	magnétophone
▼ reçu	**immigrant reçu** / landed immigrant	immigrant (un immigrant ne peut pas être clandestin)
	▬ paiement / received payment (sur facture)	pour acquit
➤ red	**red tape**	formalités, chinoiseries administratives, paperasserie
➤ reel	**reel**	moulinet (de canne à pêche), dévidoir (de tuyau d'arrosage)
▼ référant	**référant** à votre lettre du 5 août, nous vous informons que... / referring to your letter	en réponse à, comme suite à

	exemples de formes et d'emplois fautifs	formes correctes
▼ référence	lettre de **référence** / reference letter	de recommandation (mais : avoir des références, servir de référence)
	termes de __ / terms of reference (d'une commission)	attributions, mandat, compétence
◆ référer	elle doit **référer** à son supérieur / to refer to	en référer à
▼ référer	veuillez vous **référer** à la lettre du 10 février / refer to the letter	reporter
	cela __ à ce que vous disiez / refers to	se rapporte, a trait
	je vais voir qui je pourrais vous __ dans ce dossier / to refer	recommander
	la responsable a __ la lettre à son adjoint / refered the letter to	transmis, confié
	cette lettre __ à la commande d'il y a deux ans / refers to	concerne, traite de
	il n'a pas __ à ce qui s'était passé / he did not refer to	fait allusion à, parlé de
	cette note __ à tel dossier / refers to	renvoie
	__ qqn à la personne responsable / to refer sb to	diriger
	__ un différend, un litige, une proposition au comité / to refer the point at issue	soumettre, renvoyer
	__ à une clinique / to refer to	diriger vers, adresser à, envoyer à
	__ une affaire à son avocat / to refer the matter	confier
➤ refill	**refill**	cartouche (de stylo à encre), recharge (de stylo à bille, de mine de plomb, de feuilles, de produits de consommation)
▼ réflecteur	**réflecteur** de bicyclette, de camion / reflector	catadioptre, cataphote

	exemples de formes et d'emplois fautifs	formes correctes
▼ réflexion	ces faits ont été soumis **pour réflexion** aux membres / were submitted for reflection to	ont été soumis aux membres, à l'attention des membres, afin qu'ils y réfléchissent
◆ refusé	nous **avons été refusés** de le faire / we were refused to do it	on nous a refusé la permission de le faire
▼ regarder	il **regarde** mieux / he looks better	semble mieux, a l'air mieux, a meilleur air
	ça — bien / it looks well	les choses s'annoncent bien, la perspective est bonne
	ça — mal / it looks bad	les choses s'annoncent mal, la perspective est mauvaise, désolante, la situation est inquiétante
	elle — **pour** son foulard / is looking for	regarde pour trouver, cherche, regarde si son foulard est là
➤ register	**address register** (informatique)	registre d'adresse
▼ régulier	**régulier** / regular	courant, ordinaire (prix, modèle)
		habituel, attitré (professeur, surveillant)
		normal (horaire, tarif, conditions)
		ordinaire (café, essence, format, menu, séance)
		permanent (personnel)
		table d'hôte (repas)
		titulaire, en titre (membre, par opposition à membre suppléant)
		usuelles, courantes (pratiques)

	exemples de formes et d'emplois fautifs	formes correctes
▼ réhabilitation	**réhabilitation** d'un handicapé / rehabilitation	réadaption, rééducation
	__ des délinquants, des criminels / rehabilitation	redressement, réadaptation
▼ réhabiliter	**réhabiliter** les communications, un circuit, un courant, un contact / to rehabilitate	rétablir
▼ relation	nous avons reçu une lettre **en relation avec** cette affaire / in relation with	relativement à, au sujet de, à propos de
➤ relax	**relax**	décontracté, détendu, reposant
➤ remover	**remover**	décapant (pour peintures et vernis), dissolvant (pour vernis à ongles), détachant (pour taches)
▼ remplir	**remplir** une ordonnance, un ordre / to fill a prescription, an order	exécuter
	la salle était __ **à capacité** / filled to capacity	pleine, comble, bondée
▼ rencontrer	**rencontre** Jean Tremblay / meet Jean Tremblay	je te présente
	__ des dépenses	faire face à, régler
	__ des difficultés	affronter, éprouver
	__ des exigences, des besoins, la demande	répondre à, satisfaire à
	__ des objectifs	atteindre
	__ l'approbation de	recevoir
	__ l'opposition de	se heurter à

	exemples de formes et d'emplois fautifs	formes correctes
▼ rencontrer	— les conditions	satisfaire aux, remplir, acquiescer aux, souscrire aux
	— les prévisions de	confirmer, concorder avec
	— les vues, les idées de	tomber d'accord avec (personne), être conforme à (chose)
	— ses engagements, des obligations	tenir, respecter, remplir (mais : rencontrer un obstacle)
	— ses paiements	faire, réussir à faire
	— un billet, un effet de commerce	payer
	— une date limite, une échéance	respecter, observer
	je suis heureux de vous — / glad to meet	de vous connaître, de faire votre connaissance (mais : heureux de vous rencontrer ici)
➤ rent-a-car	**rent-a-car**	location de voitures, voitures de location
▼ rentrer	CKVC ne **rentre** pas / does not come in	on ne capte pas cette station
▼ renverse	**renverse** des automobiles / reverse	marche arrière
▼ renverser	**renverser** un jugement / to reverse a judgment	casser, réformer, infirmer (mais : renverser un gouvernement)
	— une loi, un règlement, un acte / to reverse a law	invalider
▼ repas	**repas régulier** / regular meal	table d'hôte

	exemples de formes et d'emplois fautifs	formes correctes
◆ répondre	avez-vous été **répondu**? / have you been answered?	vous a-t-on répondu?, est-ce qu'on vous a répondu?
▼ repos	**salle de repos** / rest room	toilettes
◆ représentant	plus d'une vingtaine de films ont été coproduits au Québec, **représentant** un investissement de 23 millions de dollars / representing	ce qui représente un investissement de (le participe présent doit se rapporter non à une proposition mais au sujet de celle-ci, ou à un autre élément non séparé du participe présent par une virgule)
▼ représentant	**représentant des ventes** / sales representative	représentant (commercial)
	— **légal** / legal representative (droit)	ayant cause, ayant droit (ayant prend un s au pluriel), mandataire
▼ représentation	être accusé de **fausse représentation** / false pretence	fraude, abus de confiance
	faire de fausses — / to make false representations, false pretences	faire des déclarations mensongères, déguiser la vérité, tromper
	se présenter **sous de fausses** — / under false pretences	frauduleusement
◆ requis	si des textes sont **requis** avec le devis / should descriptive literature be required with the specifications	lorsque le devis doit être accompagné de textes descriptifs
▼ requis	les passagers sont **requis** d'attacher leur ceinture / the passengers are requested	priés
	Hydro-Québec exporte des surplus **qui ne sont pas** — par ses abonnés / that are not required	dont ses abonnés n'ont pas besoin

	exemples de formes et d'emplois fautifs	formes correctes
▼ réquisition	**réquisition** de matériel / requisition for materials, for supplies (demande d'un service à celui des approvisionnements, des achats)	commande
	— d'achat / purchase requisition	ordre, commande
	— de travail / work requisition	demande, ordre
➤ reset	**reset** (informatique)	réinitialisation
➤ resettler	**resettler** / to resettle	remettre au point
▼ résidence	adresse et téléphone **à votre résidence** s.v.p.? / residence	du domicile
	— **funéraire** / funeral home	salon mortuaire, funérarium
▼ résidu	**résidu** d'un compte / residue	reliquat
▼ résignation	**résignation** du président / resignation	démission
	lettre de — / resignation letter	démission
▼ résistant	**résistant au feu** / fire-resisting	ignifuge, réfractaire
➤ resolution	**high resolution screen** (informatique)	écran à haute résolution, à haute définition
➤ restart	**cold start, cold restart** (informatique)	démarrage à froid, redémarrage à froid, reprise totale, reprise à froid
	warm start, warm — (informatique)	démarrage à chaud, redémarrage à chaud
◆ restaurant	**Le Citron bleu Restaurant**	restaurant Le Citron bleu
▼ rester	**rester sur la clôture** / to sit on the fence	ne pas prendre position, réserver son opinion, rester neutre
	plusieurs pensent que la TPS **est là pour** — / is there to stay	est là pour de bon, est une chose acquise

	exemples de formes et d'emplois fautifs	formes correctes
▼ résultat	**avec comme, avec pour résultat** que / with the result that	de sorte que, de telle sorte que, en conséquence
	avec la conséquence, le — que / with the result that	de sorte que, de telle sorte que, en conséquence
▼ résulter	l'Alena **résulterait en** perte d'emplois pour les Canadiens, dit-on / would result in	entraînera la perte, produira, provoquera
	ça devait — **en** un échec, un conflit ouvert / to result in	ça devait aboutir à, se solder par, il devait en résulter un
◆ retard	Montréal **est** 20 ans **en retard** / is 20 years late	est en retard de 20 ans (par contre, avec le verbe avoir, la durée du retard se place entre le verbe et la locution : elle a cinq ans de retard)
▼ retirer	**retirer** sa paye le jeudi / to draw one's pay	toucher, recevoir
▼ retour	les soldes du **retour à l'école** / back to school	rentrée des classes, rentrée
	pas de dépôt ni — / no deposit no return (inscription figurant sur des emballages à jeter)	non consigné, non repris, emballage non retournable
	on a beaucoup de — / returns	articles rendus, d'invendus
▼ retourner	**retourner un appel** / to return a call (téléphone)	rappeler
▼ retracer	**retracer** un document égaré / to retrace	retrouver, mettre la main sur
	— les voleurs, les coupables	trouver, découvrir, dépister

	exemples de formes et d'emplois fautifs	formes correctes
▼ retraiter	**retraiter** / to retreat	battre en retraite, reculer, céder, capituler
➤ retrieval	**retrieval** (informatique)	récupération
➤ return	**return key** (informatique)	touche de retour (sur certains micro-ordinateurs, la touche de retour est équivalente à la touche de transmission)
	carriage __, cursor return (informatique)	retour à la marge, à la ligne, retour-marge
➤ revamper	Clémence a **revampé** son spectacle / revamped	renouvelé, retouché, remodelé, remanié, rajeuni
	__ l'image d'une entreprise / to revamp	refaire l'image, redorer le blason de
➤ revenger	se **revenger** / to revenge	se venger
● revolver	**revolver**	revolver (ne se prononce pas « revolveur » mais « révolvèr » comme dans « mer »)
➤ rewriting	**rewriting**	réécriture, adaptation
➤ rib	**rib steak**	bifteck de côte, steak d'entrecôte
	spare ribs	côtes levées
➤ ride	**ride**	trajet, course, randonnée, balade, promenade

	exemples de formes et d'emplois fautifs	formes correctes
➤ rider	**rider** / to ride	rouler longtemps, faire de la route, rouler vite, foncer
▼ rien	**rien moins que** mesquin / nothing less than	rien de moins que, absolument
➤ rim	**rim** de roue (bicyclette, automobile)	jante
▲ rinser	**rinser** / to rinse	rincer
➤ road	**road trip** (sport)	une série de matchs, de parties à l'étranger
➤ roast	**roast beef**	rôti de bœuf, rosbif
➤ robine	la **robine** que les clochards boivent / rubbing alcohol	alcool à friction et produits comparables, succédanés d'alcool éthylique
▼ roche	lancer des **roches** / rocks	pierres, cailloux (une roche a des dimensions importantes)
▼ rôle	l'entraîneur a présenté son **rôle** offensif / roll	la liste
	le —— d'évaluation / evaluation roll	tableau d'évaluation, liste d'évaluation
➤ roll	**roll**	petit pain, gâteau roulé
▼ roman-savon	**roman-savon** / soap opera	feuilleton, téléroman
▼ ronde	gagner, perdre la première **ronde** / to win, loose the first round	manche
	—— de négociations / bargaining round	séance de négociations
	la deuxième —— de l'omnium canadien / round of the omnium	deuxième partie, 2e parcours, 2e tour
	plusieurs championnats sportifs se disputent par **tournoi à la ——** / round-robin (jeu)	poule

	exemples de formes et d'emplois fautifs	formes correctes
➤ room	**living room**	salle de séjour, vivoir
▼ rotative	grève **rotative** / rotating strike	tournante
▼ roue	Marie est à la **roue** / wheel	volant
	mettre l'épaule à la __ / to put one's shoulder to the wheel	pousser à la roue
▼ rouge	**être dans le rouge** / to be in the red	être en déficit, avoir une balance déficitaire
	gants __ **bourgogne** / burgundy red	gants bordeaux
➤ rough	**rough**	approximatif (calcul, chiffre)
		brut (minerai, montant d'argent)
		brutal, rude, revêche (air, caractère, comportement)
		brutal, dur, brusque (coup, mouvement, réponse)
		crue (farce, remarque)
		raboteux (chemin)
		rude (hiver, joueur, métier, tâche)
		rugueux, raboteux, râpeux (bois, brique, ciment)
➤ round	**round steak**	steak de ronde
▼ routine	**routine** libre ou imposée (sport)	programme
▼ royauté	**royauté** payée par un concessionnaire pour l'exploitation d'un bien-fonds / royalty	redevance
	__ dues en vertu de la propriété d'une œuvre littéraire, artistique / royalties	droits d'auteur

	exemples de formes et d'emplois fautifs	formes correctes
➤ run	**run**	clientèle (acheteurs)
		course (piston de machine)
		parcours, circuit, service (autobus)
		ronde (gardien de sécurité)
		tournée (facteur)
		trajet, randonnée (en auto)
➤ runner	**runner** / to run	circuler, rouler (auto)
		conduire (camion, machine industrielle)
		diriger, mener, gérer, administrer, exploiter (affaires)
		fonctionner, tourner, être en activité, en marche (usine)
		mener, conduire, régenter, avoir la main haute sur, commander à (personne)
➤ running	**running shoes, runnings**	chaussures de sport, d'entraînement, baskets, tennis

	exemples de formes et d'emplois fautifs	formes correctes
➤ rush	**rush**	épreuves de tournage (cinéma)
		période de pointe, d'affluence (métro, autobus)
		ruée, affluence (restaurant)
		urgent (note sur un document)
➤ rust	un chandail **rust**	(de couleur) rouille

	exemples de formes et d'emplois fautifs	formes correctes
➤ safe	ils ont vidé le **safe**	coffre-fort
	c'est pas —	sûr
	le joueur est — (baseball)	sauf
▼ saison	**Compliments, Souhaits de la saison /** Compliments of the Season, Season greetings	nos meilleurs souhaits, Joyeuses fêtes, nos vœux de bonne et heureuse année
➤ salade	**bar à salades** / salad bar	buffet de salades, comptoir à salades
➤ sales	**sales pitch** (publicité)	présentation
▼ salle	**salle à dîner** / dining room	salle à manger
	— de repos / rest room	toilettes
	une bonne — / a good house	une assistance nombreuse, satisfaisante
■ salopette	porter des **salopettes** / overalls	une salopette
▼ sanctuaire	**sanctuaire** d'oiseaux, de gibier / bird, game sanctuary	réserve naturelle, réserve, refuge
➤ sandwich	**hot chicken sandwich**	sandwich chaud au poulet
▼ sans	**sans charges additionnelles** / no extra charge	tout compris, tous frais compris, net
	— préjudice à / without prejudice to (droit)	sous toutes réserves, sans aveu de responsabilité
	seront fournis **— frais** / will be supplied free of charge	gratuitement

	exemples de formes et d'emplois fautifs	formes correctes
◆ satisfait	êtes-vous satisfait **avec** lui? / with	satisfait, content de lui
▼ satisfait	être **satisfait** que le plaignant a raison / to be satisfied that the plaintiff is right	convaincu, certain, avoir la conviction que
▼ sauce	**sauce aux pommes** / apple sauce	compote de pommes, purée de pommes
▼ sauver	**sauver** de l'argent, du travail, de l'espace / to save	épargner, économiser
	⎯ des démarches, du travail à qqn	éviter
	⎯ du temps, de l'espace	gagner, économiser
	⎯ un but (sport)	empêcher
➤ save	**to save** (informatique)	sauvegarder, stocker, mémoriser
▼ savoir	voudriez-vous me le **laisser savoir?** / let me know	faire savoir?, m'en avertir?
➤ scab	**scab**	briseur de grève
➤ scanner	les aéroports sont tous munis d'un **scanner**	tapis d'inspection (radioscopique)
	optical ⎯, optical reader (informatique)	lecteur optique
➤ scanning	**scanning** (informatique)	balayage, lecture, exploration (d'une zone de mémoire)
▼ sceller	**sceller** une enveloppe / to seal	cacheter
➤ scheduling	**scheduling** de la production	ordonnancement
■ science	**science politique** / political science	sciences politiques (plur.)
➤ scientiste	des **scientistes** ont découvert une nouvelle façon de lutter contre ce virus / scientists	scientifiques
➤ scoop	c'est un **scoop**	exclusivité, primeur, information de dernière heure

	exemples de formes et d'emplois fautifs	formes correctes
➤ score	le **score** dans un match	décompte des points, marque
➤ scorer	**scorer** un but / to score	marquer, compter
➤ scotch	**scotch tape**	ruban adhésif, papier collant
➤ scrap	de la **scrap** de fer, de cuivre	mitraille, débris de, ferraille
	acheter à la __	chez le marchand de ferraille, chez le ferrailleur, au dépôt de ferraille
	cour à __ / scrap yard	chantier de ferraille, dépotoir, cimetière d'autos
	envoyer son auto à la __	à la ferraille, à la casse
	vendre de la __	marchandises de mauvaise qualité
➤ scrapbook	**scrapbook**	album
➤ scraper	**scraper** à parquets	racloir
	__ utilisé pour enlever le givre d'un pare-brise	grattoir
➤ scrapper	**scrapper** / to scrap (marchandises, matériel industriel et autres)	mettre au rebut
	scrapper / (auto)	démolir
➤ scratcher	**scratcher** (voiture, surface quelconque) / to scratch	érafler, égratigner
➤ screen	**screen**	moustiquaire, grillage, écran (cinéma, télé)
	porte de __ / screen door	porte grillagée
	__ (informatique)	écran

	exemples de formes et d'emplois fautifs	formes correctes
➤ screen	**high resolution __** (informatique)	écran à haute résolution, à haute définition
	split __ (informatique)	écran partagé, divisé
	touch __, touch-sensitive screen (informatique)	écran tactile
➤ screening	**screening** de candidats à un poste	tri
	__ de différentes matières	criblage
	__ médical	test de dépistage
➤ script	**script**	scénario
➤ scrolling	**scrolling** (informatique)	défilement
➤ scrum	le ministre a défendu sa position auprès des journalistes à l'occasion d'un **scrum**	mêlée
➤ seafood	**seafood**	poissons et fruits de mer (seuls les mollusques et les crustacés sont des fruits de mer)
➤ search	**file search** (informatique)	recherche séquentielle
▼ second	voiture de **seconde main** / secondhand car	d'occasion (mais : renseignements, documents obtenus de seconde main, c.-à-d. d'une personne interposée)
	jouer **les __ violons** (auprès de qqn) / to play second fiddle (to sb)	un rôle secondaire, de second plan
▼ seconder	**seconder** une motion, une proposition / to second	appuyer (mais on seconde qqn)
➤ secret	**top secret** (mention sur des documents)	ultrasecret, strictement confidentiel
▼ section	**section** 15 de la loi	article
➤ sécure	là, elle se sent **sécure**	sécurisée, en sécurité, tranquille
	un moyen __	sûr, sécuritaire, solide

	exemples de formes et d'emplois fautifs	formes correctes
▼ sécurité	notre compagnie donne toutes les **sécurités** / securities	garanties (sécurité : état que peut procurer une garantie)
➤ security	**security copy** (informatique)	copie de sécurité, de sauvegarde
➤ sédan	**sédan** / sedan (auto)	coupé (à deux places), berline (à quatre places)
➤ see	**wait and see**	voir venir
➤ select	**file select** (informatique)	sélection d'éléments de fichier
➤ sélective	chirurgie **sélective** ou **élective** / selective or elective surgery	opération ou intervention non urgente
➤ self-control	avoir **du self-control**	avoir la maîtrise de soi
➤ self-made	**self-made man, — woman**	autodidacte
➤ self-service	ce **self-service** a fermé depuis la récession	libre-service
▼ semaine	**à la journée, à la semaine, à l'année longue** / all day long, all week long, all year long	à longueur de journée, de semaine, d'année
▼ semi-annuel	**vente semi-annuelle** / semi-annual sale	solde semestriel
▼ semi-détaché	maison **semi-détachée** / semidetached	jumelle
▼ semi-final	**semi-finale** / semifinal (sport)	demi-finale
▼ séminaire	**séminaire** / seminar	colloque, congrès, forum (séminaire : cours universitaire donné aux cycles supérieurs, réunion de spécialistes ou symposium, session dans un organisme de formation)
➤ senior	commis **senior**	premier commis, commis principal
	contremaître —	en chef
	fonctionnaire, technicien —	supérieur
	secrétaire —	secrétaire principale ou principal
➤ seniorité	**séniorité** dans un emploi / seniority	ancienneté

	exemples de formes et d'emplois fautifs	formes correctes
▼ sens	cela **fait du sens** / it makes sense	a du sens
▼ sensible	la question **sensible** du bilinguisme / sensible issue	délicate, épineuse, controversée
➤ sensor	**sensor** (informatique)	capteur
	light pen, light __ (informatique)	photostyle, crayon lumineux, crayon optique
▼ sentence	demander une réduction de la __ / reduction of sentence	réduction de la peine
	__ **concurrentes** / concurrence of sentences	confusion des peines
	purger sa __ / to serve one's sentence	purger sa peine
	recevoir une __ à vie / get a life sentence	écoper d'une condamnation à vie (sentence ne désigne pas la peine elle-même, mais le jugement)
	__ **suspendue** / suspended sentence	condamnation avec sursis
▼ séparation	avis de **séparation** / separation notice	avis de cessation d'emploi
	paye ou **prime de __** / separation pay or allowance, severance pay	indemnité de cessation d'emploi, de départ, de licenciement, de fin d'emploi
➤ service	**answering service**	permanence téléphonique
▼ service	**frais de service** / service charge	frais d'administration, de gestion
	manuel de __ / service manual (machine, outillage, auto)	guide d'entretien
	six mois de __ gratuit / free service	d'entretien
	voie de __ / service road	voie de desserte
▼ serviette	l'adversaire a **jeté la serviette** / threw in the towel (boxe)	jeté l'éponge, abandonné la partie, baissé pavillon, les bras, déclaré forfait

	exemples de formes et d'emplois fautifs	formes correctes
▼ servir	**servir** un avertissement / to serve a warning	donner
	— une ordonnance, un acte judiciaire / to serve a writ	signifier, délivrer, notifier
	— une peine de 10 ans de prison / to serve a sentence	purger, subir
	— une pénalité / to serve a penalty	purger, subir
	les avis de départ seront — / will be served	signifiés, remis
▼ session	le congrès doit comporter quatre **sessions**	séances
	être en — / to be in session (conseil, commission)	tenir séance, siéger
➤ set	**set**	assortiment, éventail, choix (bibelots, bijoux, couleurs)
		batterie (ustensiles de cuisine)
		jeu (cartes, clés, cuillers à mesurer, formules, outils)
		manche (tennis)
		mobilier, ensemble (chambre, cuisine, salon)
		service (café, vaisselle)
		train (pneus, roues)
➤ settler	**settler** une affaire, un problème, une querelle / to settle	régler
	— un appareil, une machine, un moteur	régler, mettre au point

	exemples de formes et d'emplois fautifs	formes correctes
▼ sévère	un **sévère** problème d'argent / severe	important, grave, inquiétant, terrible, gros
	placage ___ (sport)	dur placage, mise en échec brutale
	un climat ___	rigoureux, rude, dur
	une perte financière ___ / severe financial loss	considérable
➤ shack	**shack**	cabane, bicoque
➤ shaft	un **shaft** autour duquel une pièce tournante effectue sa rotation	axe
	___ de transmission / drive, propeller shaft (auto)	arbre de transmission
	___ **du steering** (auto)	arbre de direction
➤ shaker	**shaker** de froid, de peur, sous l'effet d'un choc / to shake	trembler
	___ (objet subissant des secousses rapides)	vibrer
➤ shampoo	**shampoo**	shampoing
➤ shape	**shape**	taille (d'une personne), forme (d'un objet)
➤ shed	**shed**	bûcher (bois)
		dépôt (machines)
		hangar (marchandises)
		resserre (jardin)
➤ sheet	**log sheet, log** (informatique)	journal
➤ shellac	**shellac**	vernis à la gomme laque, laque

SHIFT

	exemples de formes et d'emplois fautifs	formes correctes
➤ shift	être **sur le shift, le chiffre** de nuit / shift	du quart de nuit, de l'équipe de nuit, avec l'équipe de nuit
	travailler **sur les __** ou **chiffres**	par roulement, par équipe, en rotation
	__ key (informatique)	touche de positionnement du clavier
➤ shifter	il faut **shifter** dans les côtes / to shift	changer de vitesse
➤ shifting	**shifting** (informatique)	décalage
➤ shiner	**shiner** / to shine	cirer, astiquer, faire briller
➤ shipment	on a fait un **shipment** hier	envoi, expédition
	on attend un autre **__**	livraison, lot
➤ shipper	**shipper** de la marchandise / to ship	expédier
➤ shock	**shock absorbers** (auto)	amortisseurs
➤ shockproof	**shockproof**	antichoc
➤ shoe	**running shoes, runnings**	chaussures de sport, d'entraînement, baskets, tennis
➤ shooter	**shooter** / to shoot (sport)	tirer
	se **__** / to shoot oneself (stupéfiants)	se piquer, s'injecter
	__ un objet à qqn	lancer
	__ une automobile	peindre au pistolet
➤ shop	arriver à la **shop**	usine, atelier
	parler de la **__**	du travail, du boulot
	tenir une **__**	boutique

	exemples de formes et d'emplois fautifs	formes correctes
➤ shop	**body** __	atelier de carrosserie
	machine __	atelier de construction mécanique, d'usinage
	pet __	animalerie
➤ shopping	faire du **shopping**	du magasinage, des courses
	__ **bag**	sac, filet à provisions
➤ short	arriver **short** dans ses finances	être à court d'argent
➤ shortage	**cash shortage** (comptabilité)	déficit de caisse
➤ shortening	**shortening**	graisse alimentaire, végétale
➤ shot	une **shot** de gin	un coup, un verre
	100 $ de la __	de la fois, du coup, le coup
	au Forum, c'est la section des **big** __	grosses légumes, huiles
	on en a pelleté une __	un coup
	slap __ (hockey)	tir frappé, lancer frappé
➤ show	un bon **show**	spectacle
	assister au **fashion** __ annuel des grands couturiers québécois	présentation de mode
	__ **business**	industrie du spectacle
	faire son __ pour attirer l'attention	numéro
	one-man __, **one-woman show**	spectacle solo, un solo
	voler le __ à qqn	vedette

	exemples de formes et d'emplois fautifs	formes correctes
➤ showcase	un **showcase** bien présenté	montre, vitrine
➤ show-off	faire du **show-off**	faire de l'étalage, de l'épate, de l'esbroufe
➤ shutdown	**shutdown** (informatique)	arrêt
➤ shuttle	**shuttle** entre l'hôtel et l'aéroport	navette
➤ shylock	**shylock**	usurier
◆ si	donner la suite voulue, **si approuvé** / if approved	si le projet, le rapport est approuvé, moyennant approbation, après approbation
	__ **non réclamé**, retourner à l'expéditeur / if not claimed	en cas de non-livraison
➤ sideline	avoir un **sideline**	deuxième travail, emploi, travail complémentaire, métier de complément
▼ siège	**siège de première classe** / first class seat (transport)	place de première, première
	veuillez **garder vos** __ s'il vous plaît / please keep your seat	veuillez rester assis
▼ siéger	**siéger sur** un comité / to sit on a committee	faire partie de, siéger à,
➤ sign	**sign bit** (informatique)	bit de signe
▼ significatif	sans frais **significatifs** / significant costs	importants, considérables
▼ simple	chambre **simple** / single bedroom	à, pour une personne, chambre individuelle
	lit __ / single bed	à une place, pour une personne, petit lit

	exemples de formes et d'emplois fautifs	formes correctes
▼ sincèrement	**Bien vôtre, Bien à vous, Sincèrement vôtre /** Truly yours, Sincerely yours (avant la signature dans une lettre)	Nous vous prions d'agréer, Madame, Monsieur, l'expression de nos sentiments distingués, ou encore : Je vous prie d'agréer, Madame, Monsieur, l'assurance de mes sentiments les meilleurs
➤ single-breast	veston **single-breast** / single-breasted	droit
➤ sirloin	**sirloin** (steak)	surlonge
▼ site	ils n'étaient pas d'accord avec le **site** choisi pour le congrès / site	endroit, ville
	la région de Québec devrait être choisie comme __ des Jeux d'hiver	lieu
	on n'a pas encore décidé du __ exact de l'hôpital	emplacement
	un __ de construction / building site	terrain (à bâtir)
➤ sit-up	faire des **sit-ups**	redressements assis
➤ size	boîte **king size**	format géant
	cigarettes **king __**	de longues cigarettes, des longues
➤ sizer	**sizer** une longueur, un prix / to size	estimer
	__ qqn / to size sb	jauger, classer, prendre la mesure de
➤ skateboard	**skateboard**	planche à roulettes
➤ sketch	des **sketchs** au fusain	esquisses, croquis
➤ skid	**skid** avec lequel on lève un fardeau pour le déplacer	planche de glissement
➤ skider	les roues de l'auto **skident** dans la neige / the wheels skid	glissent de côté, dérapent
➤ skidoo	**skidoo** (marque déposée)	motoneige

	exemples de formes et d'emplois fautifs	formes correctes
➤ slack	corde, courroie, ficelle, câble **slack**	mou, lâche, relâché, détendu
	roue, couvercle, écrou ___	dévissé
	les affaires sont ___	calmes, au ralenti, en période creuse
	un **grand** ___	un échalas
➤ slap	**slap shot** (hockey)	tir frappé, lancer frappé
➤ sleeping bag	**sleeping bag**	sac de couchage
➤ slice	**slice** de tomate	tranche
➤ slide	les **slides** des dernières vacances	diapositives, diapos
➤ slim	**slim**	élancé, mince, svelte
➤ slip	**slip** d'expédition, de livraison	bordereau d'expédition, bon de livraison
	___ bordé de dentelle	jupon
	___ de paye	feuille de paye
➤ sloppy	une personne **sloppy**	négligée, débraillée
➤ slot	les **slot machines** du casino	machine à sous
➤ slotch	il y a de la **slotch, slush** dans les rues / slush	gadoue, neige boueuse
➤ slow	une personne **slow**	lente, lente à agir, à réagir, à comprendre, à se mouvoir
	les affaires, les ventes sont ___	au ralenti

	exemples de formes et d'emplois fautifs	formes correctes
➤ slow-motion	projection en **slow-motion** (cinéma, caméscope)	en ralenti, au ralenti
➤ sly	**sur la sly**	en cachette, sous le manteau, au noir, en contrebande
➤ smatte	être **smatte** / smart	aimable, gentil, serviable, habile
	chercher à **faire le ＿**	briller, se montrer drôle, spirituel, se faire valoir
	jouer au plus ＿	au plus fin, au plus rusé
➤ smoked	**smoked meat**	bœuf mariné fumé
➤ snack	se payer un bon **snack**	gueuleton
	＿ bar, snack	casse-croûte
➤ snap	**snap** d'un vêtement	bouton-pression
	＿ d'un sac à main	fermoir à pression
➤ sneaker	**sneaker** / to sneak	fouiner
➤ snorkel	**snorkel** (sport)	tuba (désigne non seulement le sport mais aussi le tube recourbé qui permet au nageur de respirer à la surface)
▼ sobre	il est **sobre** / sober	à jeun, n'a pas bu, n'est pas ivre, n'est pas sous l'effet de l'alcool
▼ société	**société incorporée** / incorporated society (entreprise)	constituée en société par actions, constituée en société

	exemples de formes et d'emplois fautifs	formes correctes
➤ socket	**socket** d'ampoule électrique	douille
▼ soda	**soda à pâte** / baking soda	bicarbonate de sodium, de soude
➤ soft	**soft error** (informatique)	erreur temporaire
➤ software	**software** (informatique)	logiciel
	application __ (informatique)	logiciel d'application
	systems __ (informatique)	logiciel de base
	__ **tool** (informatique)	outil logiciel, aide à la programmation
▼ soi	couvercles pour conserves **chez soi** / home canning caps	conserves faites à la maison
	faire un fou de __ / to make a fool of oneself	faire l'imbécile, se couvrir de ridicule, agir en insensé
➤ sold	cet article est **sold out**	en rupture de stock
▼ solide	en caoutchouc **solide** / solid rubber	plein
	en or __ / solid gold	massif
	__ **du lait** / milk solids	extrait sec du lait
▼ sophistiqué	du matériel **sophistiqué** / sophisticated equipment (haute technologie)	complexe, évolué, de haute technologie
➤ sort	**file sort** (informatique)	tri de fichier
▼ sortie	**sortie d'urgence** / emergency exit, door	issue de secours (autobus, métro), sortie de secours (immeubles)
➤ sorting	**sorting** (informatique)	tri
▼ sortir	les photos ont **mal sorti** / did not come out	sont mal réussies
	ne pas être __ **du bois** / out of the wood	tiré d'embarras, au bout des difficultés
▼ souffrances	**peines et souffrances** / pains and sufferings (subies par le plaignant, dans un procès)	douleurs physiques et morales
▼ soufre	**dioxyde de soufre** / sulfur dioxide	anhydride sulfureux

	exemples de formes et d'emplois fautifs	formes correctes
▼ souhait	**Souhaits, Compliments de la saison** / Season Greetings, Compliments of the Season	nos meilleurs souhaits, Joyeuses fêtes, nos vœux de bonne et heureuse année
▼ soulever	**soulever un point d'ordre** / to raise a point of order	invoquer le règlement, faire appel au règlement, en appeler au règlement
▼ soulier	**être dans les souliers de** qqn / to be in sb's shoes	être à la place de, dans le peau de
	___ de course / running shoes	chaussures de sport, d'entraînement, baskets, tennis
▼ soumettre	le comité a **soumis** que la question demandait une étude sérieuse / submitted that	a allégué, est d'avis
	je **___** que l'accusé n'avait pas d'intentions délictueuses / I submit that	prétends
▼ soumission	**jour de fermeture de la soumission** / the day the tender closes	dernier jour de la présentation des soumissions, date limite de présentation des soumissions
➤ soumissionnaire	le **soumissionnaire le plus bas** / lowest tenderer	l'entrepreneur moins-disant, le moins-disant
◆ soumissionner	**soumissionner pour** des travaux / to tender for	soumissionner des travaux
▼ sous	**être sous l'impression que** / to be under the impression that	avoir l'impression que, avoir idée que, garder l'impression que
	course ___ harnais / harness race	course attelée
	être ___ arrêt / to be under arrest	être en état d'arrestation, être arrêté
	être ___ l'influence de l'alcool / to be under the influence of alcohol	être en état d'ébriété

	exemples de formes et d'emplois fautifs	formes correctes
▼ sous	l'incendie est __ **contrôle** / under control	maîtrisé, circonscrit
	tout est __ **contrôle**	se déroule, marche bien, avoir la situation (bien) en main, nous avons vu à tout (mais : avoir le contrôle de soi-même)
	mettre __ arrêt / to put under arrest	mettre en état d'arrestation, arrêter
◆ sous	il fait 15° **sous** zéro / 15° under	au-dessous de
	__ certaines circonstances / under certain circumstances	dans
	garder un patient __ examen / under observation	en observation
	la proposition est __ examen / under examination	à l'examen
	le malade est __ traitement / under treatment	en traitement
	le plan __ étude / under study	à l'étude
	le projet est __ discussion / under discussion	en discussion
▼ sous-contracteur	**sous-contracteur** / subcontractor	sous-traitant, sous-entrepreneur
▼ sous-contrat	**sous-contrat** / subcontract	sous-traitance
▼ sous-officier	**sous-officier rapporteur** / deputy returning-officer	scrutateur
▼ sous-total	**sous-total** / subtotal (comptabilité)	total partiel, somme partielle
▼ Souvenir	le **Jour du Souvenir** / Remembrance Day	l'Armistice
▼ souvent	il est absent **plus souvent qu'autrement** / more often than not	la plupart du temps
■ spaghetti	manger du **spaghetti**	des spaghettis
➤ spare	poser le **spare** sur l'auto	roue de rechange, de secours
	un objet de __	de rechange
	__ **ribs**	côtes levées

	exemples de formes et d'emplois fautifs	formes correctes
➤ spark	**spark plugs**	bougies d'allumage, bougies
➤ speaker	**speakers** (chaîne stéréo)	haut-parleurs
▼ spécial	c'est un **spécial** / special (commerce)	un solde, article-réclame
	en — cette semaine	en réclame, rabais de la semaine
	livraison —, par livraison spéciale / by special delivery	livraison par exprès (prononcer comme « presse »), par exprès, exprès
	prix — / special price	prix de solde, prix réduit
	réunion, assemblée — / special meeting	extraordinaire
	— du jour (restauration)	plat, menu du jour
	— non annoncé	rabais surprise
	les — du mois au magasin	soldes, réclames, rabais, promotions
▼ spécification	les **spécifications** d'un contrat / specifications	stipulations, termes, clauses
	les — d'un appareil	caractéristiques
	les — d'une loi, d'un règlement	prescriptions, dispositions
	les — des fabricants	prescriptions
	les — relatives à des travaux à forfait, de construction	cahier des charges, devis
▼ spécifique	cas **spécifique** / specific case	particulier, précis (spécifique : relatif à une espèce)
	objectif — / specific objective	déterminé

	exemples de formes et d'emplois fautifs	formes correctes
▼ spéculation	**spéculations** sur l'objet d'une visite / speculations	conjectures, hypothèses, suppositions
▼ spéculer	sur la venue du président de la Russie, on ne peut que **spéculer** / to speculate about	conjecturer, faire des hypothèses, des conjectures
➤ speech	donner un **speech**	allocution
	on m'a fait un —	des remontrances
➤ speedé	être **speedé** / speedy	nerveux, excité
➤ spencer	**spencer** (steak)	bifteck de faux-filet, steak de faux-filet
➤ spidomètre	**spidomètre** / speedometer	compteur, indicateur de vitesse
➤ spike	**spikes** de chaussures de football	crampons
➤ spinner	faire **spinner** du linge / to spin	essorer
	un objet qui —	tourne
➤ split	**split** (gymnastique)	grand écart
	— **level**	maison à paliers, à mi-étage, mi-étage
	— **screen** (informatique)	écran partagé, divisé
➤ spliter	**spliter** (dépenses, tâches, argent) / to split	partager
➤ sponsor	un **sponsor**	commanditaire
➤ sponsoriser	course **sponsorisée** par un groupe québécois / sponsored by	commanditée
➤ spool	**spool** (simultaneous peripheral operation on-line) (informatique)	spoule
➤ spooler	**spooler** (informatique)	programme d'impression désynchronisée

	exemples de formes et d'emplois fautifs	formes correctes
➤ sport	une attitude **sport**	chic
▼ sports	magasin de **sports** / sports shop	d'articles de sport
➤ spot	**spot**	cercle (lumière, liquide, couleur)
		emplacement choisi (vente)
		endroit, lieu (rencontre)
		mouche (table de billard)
		place désignée (sport)
		message publicitaire, réclame-éclair
➤ spotlight	**spotlight**	projecteur
➤ spotter	**spotter** qqch ou qqn / to spot sth or sb	repérer qqn, détecter, déceler qqch
➤ spray	**spray**	aérosol, vaporisateur, atomiseur
	__ à cheveux	fixatif
	peindre au __	pistolet, bombe
➤ spread	**spread** (chocolat, caramel)	tartinade
➤ spring	**spring** d'un canapé, d'un appareil, d'un jouet	ressorts
	__ d'un lit / spring-base mattress	sommier à ressorts
➤ springboard	**springboard**	tremplin
➤ squeeze	de la moutarde en **squeeze bottle**	contenant souple
➤ staff	**staff**	personnel
	__ (par opposition à line) (administration)	hiérarchie de conseil, ligne conseil, liaisons fonctionnelles, cadres conseils

	exemples de formes et d'emplois fautifs	formes correctes
➤ stage	**stage**	estrade (orateur, invité d'honneur, jury)
		plateau (cinéma, télévision)
		scène (théâtre, salle de spectacle)
		tribune (conférencier, animateur)
▼ stage	chaque **stage** de la rédaction	phase, étape
	à ce — de l'évolution	stade
➤ stainless	**stainless steel**	acier inoxydable, inox
➤ stakeholder	**stakeholders**	agents sociaux, décideurs, intéressés
➤ stall	**stall** d'un cheval	stalle
➤ stallé	**stallé** / to be stalled	être accroché, collé (chez qqn)
		être arrêté, calé, tombé en panne (moteur)
		être enlisé, embourbé, pris, calé (véhicule)
		être immobilisé, paralysé (en cours de route)
➤ stamina	les joueurs ont du **stamina**	endurance, résistance
➤ stand	**stand**	béquille, support (bicyclette)
		étal (boucherie, marché)

	exemples de formes et d'emplois fautifs	formes correctes
➤ stand		éventaire (fleurs, fruits, journaux),
		étalage (mais : stand pour désigner l'espace réservé à un participant dans une exposition)
		pied (appareil-photo)
		présentoir (pâtisseries, bijoux)
		station (taxis)
		support (téléviseur)
		tourniquet (cartes postales, lunettes de soleil)
	__ **de patates**	friterie (frites)
▼ standard	atteindre un **standard** élevé de fabrication / standard	niveau
	viser à un haut __ d'excellence	degré
	les appareils électriques font l'objet de __ de production	normes
	__ d'un métal	titre
➤ stand-by	**stand-by**	attente
➤ standing	ovation **debout, standing ovation**	ovation
	un certain __	niveau de vie, luxe
➤ stand-up	**stand-up comic**	humoriste, fantaisiste seul en scène ou devant la caméra
➤ star	**star**	vedette, actrice, acteur
➤ start	**cold start, cold restart** (informatique)	démarrage à froid, redémarrage à froid, reprise totale, reprise à froid

	exemples de formes et d'emplois fautifs	formes correctes
➤ start	**warm __, warm restart** (informatique)	démarrage à chaud, redémarrage à chaud
➤ starter	**starter** / to start	partir, démarrer, mettre en marche
	starter (auto)	démarreur
➤ starting block	**starting block** (sport)	bloc de départ
➤ starting gate	**starting gate** (sport)	barrière de départ
▼ station	**station** A (postes)	succursale
	__ de gaz / gas station	poste d'essence
	le train arrive à la __ à 2 h	en gare (mais : station de métro, de taxis)
➤ station wagon	une **station wagon**	familiale
▼ statique	éliminer la **statique** / static	électricité statique
	__ (téléphone)	friture, parasites
▲ status	**status quo**	*statu quo*
▼ statut	**statut** civil / civil status	état civil
	__ marital / marital status	état matrimonial
	en réclamation de **__** / status	en réclamation d'état
	les **__** du Québec / the statutes	les lois, la législation
▼ statutaire	**congé statutaire** / statutory holiday	fête légale
➤ steak	**steak de saumon, de flétan** / salmon, halibut steak	darne de saumon, de flétan
	__ house	grilladerie
➤ steam	à **full steam**	à toute vitesse, à toute vapeur
➤ steamé	hot dogs **steamés** / steamed	à la vapeur
➤ steel	**stainless steel**	acier inoxydable, inox
	__ band	orchestre de bidons

	exemples de formes et d'emplois fautifs	formes correctes
➤ steer	**steer** (par opposition au taureau)	bœuf
➤ steering	**steering** / steering wheel (auto)	volant
➤ step	**step**	bond, saut (sous l'effet de la surprise), pas (de danse)
➤ stepper	**stepper** / to step	sauter, bondir
➤ stew	**stew** (viande)	ragoût
➤ sticker	un **sticker**	autocollant
➤ stock	avoir du **stock**	drogue
	du beau __ en magasin	marchandise
	vendre ses __	actions
➤ stool	**stool**	rapporteur, délateur, mouchard
➤ stooler	**stooler** qqn / to stool sb	dénoncer
➤ stop	**stop bit** (informatique)	bit d'arrêt
➤ stopper	des **stoppers** fermant la route aux automobiles	blocs
➤ storage	**storage**	entreposage, garde-meuble
	auxiliary __ (informatique)	mémoire externe
	buffer, buffer memory, buffer __ (informatique)	mémoire tampon, tampon
	external __ (informatique)	mémoire externe
	internal __ (informatique)	mémoire interne
➤ straight	être **straight** en affaires	honnête, droit, franc, juste, loyal
	être __ quant à l'observation ou à l'application des règlements	strict

	exemples de formes et d'emplois fautifs	formes correctes
➤ straight	pleuvoir trois jours __	de suite, sans arrêt, sans interruption, consécutifs
	prendre une verre d'alcool __	sans eau, sec
	un homme ou une femme __	un hétérosexuel, un hétéro une hétérosexuelle, une hétéro
	une __ aux cartes	séquence (terme général), tierce, quatrième, quinte (noms précis suivant le nombre de cartes qui compose la séquence)
➤ strap	**strap**	bandoulière (sac, sac à main)
		courroie, courroie de transmission, d'entraînement (ventilateur d'auto, humidificateur, machine)
		lanière, courroie (de retenue ou de suspension d'un objet)
		sangle (pour transport d'un fardeau)
➤ stretché	des chaussettes **stretchées** / stretchy	extensibles
	pantalon __	pantalon fuseau, fuseau
➤ strike	**strike** (baseball)	prise
➤ stucké	être **stucké** dans une attitude, à une idée, à un choix / to be stuck	buté
	être __ dans un fossé	embourbé
➤ stuff	un bon **stuff**	produit

	exemples de formes et d'emplois fautifs	formes correctes
➤ stylus	**electronic pen, stylus** (informatique)	stylo électronique
➤ styrofoam	**styrofoam**	mousse de polystyrène, styromousse
➤ subdirectory	**subdirectory** (informatique)	sous-répertoire
➤ submenu	**submenu** (informatique)	sous-menu
➤ subpoena	**subpoena**	citation à comparaître
➤ subroutine	**subroutine** (informatique)	sous-programme
▼ subsidiaire	une **subsidiaire** de la compagnie / a subsidiary	filiale
▼ sucre	**sucre brun** / brown sugar	cassonade
▼ suggérer	êtes-vous en train de nous **suggérer** que personne n'est intéressé? / are you suggesting that...?	insinuez-vous que...?, êtes-vous en train de nous dire que...?, vous semblez dire que... ?
➤ suit	porter un **suit**	complet, costume
	un ___ de neige	combinaison (d'une seule pièce pour skieur, motoneigiste), costume de neige (d'une ou de deux pièces)
◆ suite	si **par suite de** sa soumission le ministère lui accorde un contrat / if as a result of his tender a contract is awarded	si sa soumission est agréée et lui vaut un contrat
▼ suite	**suite** (dans un immeuble à bureaux)	bureau, local
▼ suivant	**suivant** la réunion des actionnaires / following the shareholders meeting	à la suite de, après la réunion
▼ sujet	les partis politiques seront **sujets** à cette loi / will be subject to	seront soumis à, seront assujettis à
	les prix **sont** ___ à modification sans avertissement / are subject to change	sont modifiables sans préavis, pourront subir des modifications, nous nous réservons le droit de modifier les prix

	exemples de formes et d'emplois fautifs	formes correctes
▼ sujet	ces articles **seront le __** d'une autre commande / these items will be the subject of another order	feront l'objet
	__ : dictionnaire des anglicismes / Subject :	Objet : (dans une lettre, une note)
	__ à l'acceptation du tiers, à l'approbation du conseil / subject to	sous réserve de, moyennant l'acceptation
➤ sundae	**sundae** au chocolat	coupe glacée
➤ sundeck	**sundeck**	terrasse (d'un immeuble d'habitation), pont promenade (paquebot)
➤ suntan	**suntan**	hâle, bronzage
➤ supplémenter	**supplémenter** des indemnités, des informations / to supplement	ajouter un supplément à, ajouter à
▼ support	**support**	appoint, appui, complément, supplément
▼ supporter	**supporter** un candidat, une mesure / to support	appuyer, soutenir, encourager, donner son appui à
➤ supporter	il est **supporter** du Bloc québécois	partisan (supporter et supporteur sont des termes courants en France dans le domaine du sport)
▼ supposer	je **suis supposé** y aller / am supposed to	je suis censé y aller, je dois y aller, il est convenu que j'irai
	c'**est __** avoir lieu / it is supposed to	cela devrait

	exemples de formes et d'emplois fautifs	formes correctes
➤ sur	être **sur le chiffre, le shift** de nuit / shift	du quart de nuit, de l'équipe de nuit, avec l'équipe de nuit
	travailler __ **les chiffres, les shifts**	par roulement, par équipe, en rotation
▼ sur	**appliquer, faire application pour, sur** un emploi / to apply for a job, to make an application	postuler, solliciter un emploi, faire une demande d'emploi, offrir ses services, poser sa candidature à un emploi, remplir une formule de demande d'emploi
	achat __ **la finance** / on finance	à crédit
	avoir le meilleur __ / to get the best of	l'emporter sur, avoir l'avantage sur, vaincre, triompher de
	capitaliser __ l'expérience / to capitalize on	mettre à profit, exploiter, tirer parti de, tirer profit de
	commenter __ l'attitude du président / to comment on	commenter l'attitude, faire des commentaires sur l'attitude
	être __ **la ligne de piquetage** / to be on picket lines	être aux piquets de grève
	être __ **la ligne** / to be on the line (téléphone)	occuper la ligne, être à l'écoute
	être __ **le banc** / to be on the bench	être magistrat ou magistrate, siéger au tribunal
	garder un œil __ / to keep an eye on	surveiller, avoir l'œil sur, avoir, tenir à l'œil

exemples de formes et d'emplois fautifs	formes correctes
▼ sur	
jugement rendu __ **le banc** / on the bench, passed on the bench	sur le siège, sans délibéré, séance tenante
le gouvernement est __ **son dernier mille** / on its last mile	près de la fin, à l'extrémité, au bout de son rouleau
monter __ **le banc** / to be raised to the bench	accéder à la magistrature, être nommé juge
proposition adoptée __ **division** / on division	à la majorité (par opposition à l'unanimité), avec dissidence
se fier __ les informations obtenues / to rely on	se fier aux
se lever __ un point d'ordre / to rise to (assemblée délibérante)	demander le rappel à l'ordre
se lever __ une question de privilège / to rise	poser une question...
siéger __ un comité / to sit on a committee	faire partie de, siéger à,
__ **l'air** / on the air (à la porte d'un studio)	sur les ondes, en ondes, à l'antenne, émission en cours
__ **la sly** / on the sly	en cachette, sous le manteau, au noir, en contrebande
__ **le temps de** la compagnie / on the company's time (activité personnelle)	pendant les heures de travail, aux dépens de la compagnie
vivre __ **le bien-être social**, __ **le bien-être** / social welfare, welfare	de l'assistance sociale, toucher des prestations d'aide sociale, recevoir de l'aide sociale
voyager __ **le budget** de l'entreprise / on the company's budget	aux frais

exemples de formes et d'emplois fautifs	formes correctes
◆ sur	
elle est **sur** le jury, le comité des finances / on the jury, the finance committee	membre du, fait partie du
accrocher — le mur / on the wall	au
blâmer qqch — qqn / to blame sth on sb	blâmer qqn de qqch, imputer qqch à qqn, rejeter la faute ou la responsabilité de qqch sur qqn
c'est tout ce qu'on a — l'étage / on this floor	à l'étage
elle ne sera pas — l'émission ce soir / on the program	à l'émision, ne participera pas à
être — l'aide sociale / to be on welfare	bénéficiaire de, vivre de
être — l'horaire variable / to be on a flexible schedule	avoir un
être — une diète / to be on a diet (régime alimentaire prescrit)	être à la diète, suivre une diète
habiter — la rue Parc / on Park St.	habiter rue Parc
il a été choisi — l'équipe des étoiles / on the star tcam	comme membre de
il est occupé — le téléphone / busy on the phone	au téléphone
il est — l'ouvrage en ce moment / on the job	à l'ouvrage
il y a trop de monde — la rue / on the street	dans la rue (mais : sur la route)
je vais lire — l'avion, — l'autobus, — le train / on the plane, the bus, the train	dans, à bord de
la radio est — l'AM / on AM	à l'AM
les bibliothèques sont ouvertes le soir — semaine / on weekdays	en semaine
notre émission est changée de place — l'horaire / on the schedule	dans l'horaire
on n'a pas eu une seule goutte de pluie — le voyage / on the trip	pendant le, durant le, au cours du

	exemples de formes et d'emplois fautifs	formes correctes
◆ sur	passer ___ le feu rouge / on the red light	au, griller le
	regarder ___ son agenda / on one's agenda	dans
	travailler ___ la construction / on construction	dans la construction, le bâtiment
	travailler ___ une ferme / to work on a farm	à, dans
	vivre ___ une réserve / to live on a reservation	dans, à
▼ sur	**sur et sucré** / sweet-and-sour	aigre-doux
▼ sûr	**être sûr que** la vanne est bien fermée / to be sure that	s'assurer que
▼ sûreté	raisons de **sûreté** / safety reasons	sécurité
▼ surintendant	**surintendant** de la fabrication, de l'entretien / superintendant	chef
	___ d'un immeuble d'habitation	concierge, gérant
▼ surprise	**prendre par surprise** / to take by surprise	surprendre, prendre à l'improviste, prendre au dépourvu
➤ surtemps	faire du **surtemps** / overtime	des heures supplémentaires
▼ surveillant	**surveillant** de la distribution, de la facturation, de la dotation en personnel, des services techniques / supervisor (entreprise)	responsable, chef
▼ suspecter	elle **suspecte** que de la vitre est la cause de la crevaison / she suspects	présume
➤ swamp	il y a une **swamp** à côté du lac	marais, marécage
➤ swapping	**swapping** (informatique)	permutation, échange
➤ sweat	**sweat shirt**	survêtement

	exemples de formes et d'emplois fautifs	formes correctes
➤ sweater	**sweater**	lainage (terme général), chandail, tricot, cardigan
➤ swing	l'auto a fait un **swing**	virage brusque, crochet
	se donner un bon —	élan
➤ swinger	**swinger** / to swing	se balancer, virer brusquement, tourner sur soi, pivoter
➤ switch	**switch** (pour modifier un circuit électrique)	commutateur
	—(appareil d'éclairage, machine)	interrupteur, bouton
	—(auto)	interrupteur d'allumage, contact
➤ switchboard	**switchboard** (téléphone)	standard
➤ switcher	on va **switcher** / to switch	changer
	—sur un autre sujet de conversation	passer à
➤ switching	**switching** (informatique)	commutation
▼ syllabus	fournir un **syllabus** de chaque cours	plan de cours, sommaire
▼ sympathie	offrir ses **sympathies** / one's sympathy	condoléances
▼ sympathique	les membres de l'association sont tous **sympathiques** à cette cause / sympathetic	favorables à, bien disposés, bienveillants envers, sympathisants de la promotion de
	les gens sont —à mon malheur	compatissants
➤ system	**crash, system crash** (informatique)	incident
	expert —(informatique)	système expert
	operating —(informatique)	système d'exploitation
	systems software (informatique)	logiciel de base

SYSTÈME

	exemples de formes et d'emplois fautifs	formes correctes
▼ système	vitamines qui aident tout le **système** / the whole system	organisme
	— de la probation / probation system	régime de la mise en liberté surveillée, régime de la liberté surveillée
	— de son / sound system	chaîne stéréophonique, chaîne stéréo

	exemples de formes et d'emplois fautifs	formes correctes
▼ table	cuiller à **table** / tablespoon	à soupe
	__ à **extension** / extension table	table à rallonge
	__ à **cartes** / card table	table de jeu, à jouer
▼ tablette	posologie : une **tablette** avant chaque repas / tablet	comprimé
➤ tack	**tack**	agrafe (feuilles de papier) (brocheuse : sert au brochage des livres)
		broquette (carpette, tapis)
		point (réparation sommaire à un vêtement)
		punaise (affiche, dessin)
➤ tacker	**tacker** / to tack	agrafer (feuilles) (brocher : relier un livre)
		clouer (tapis)
		fixer, punaiser (affiche, dessin)
➤ tag	**tag**	étiquette
	jouer à la __	au chat
➤ takeover	**takeover** (commerce)	acquisition, prise de participation, de contrôle, absorption
➤ tangerine	**tangerine**	mandarine, clémentine

	exemples de formes et d'emplois fautifs	formes correctes
▼ tangible	**actif tangible** / tangible asset	bien corporel, élément d'actif corporel
	actifs — / tangible assets	actif corporel, immobilisations corporelles
➤ tanker	**tanker**	navire-citerne, pétrolier
➤ tape	**tape**	ruban isolant (pour les fils), ruban (en général)
	masking —	ruban-cache, papier-cache adhésif
	red —	formalités, chinoiseries administratives, paperasserie
	scotch —	ruban adhésif, papier collant
	— à mesurer	mesure, mètre à ruban
	— recorder	magnétophone
➤ taper	**taper** un écrou / to taper	tarauder, fileter
	— une ligne téléphonique / to tap	mettre sur écoute
▼ tapis	**tapis mur à mur** / wall-to-wall carpeting	moquette
■ tarifs	**tarifs** : 1 heure, 4 $ / rates	tarif (sing.)
➤ tarmac	l'avion attend sur le **tarmac** / tarmac (de l'anglais tar et macadam)	piste de l'aéroport
➤ task	**task force**	groupe de travail, d'étude
▼ taux	**taux d'échange** / exchange rate (finance)	taux de change
▼ taxe	**payeur de taxes** / taxpayer	contribuable
	— d'amusement / amusement tax	taxe sur les spectacles
	— foncières / property tax	impôt foncier

	exemples de formes et d'emplois fautifs	formes correctes
▼ taxer	**taxer** son énergie, sa patience / to tax	exiger un grand effort de, mettre à l'épreuve, à dure épreuve
➤ t-bone	**t-bone** (steak)	aloyau
➤ teach-in	**teach-in**	séance d'études
➤ teachware	**teachware** (informatique)	didacticiel
➤ technicalité	**technicalité** / technicality	détail technique, d'ordre pratique, formalité, question de forme, point de détail, subtilités
▼ tel	à l'entrée en vigueur de **tel** régime, à la réalisation de ___ entente / such	ce, cette
	dans ___ cas / in such event	ce cas
	dans ___ circonstances / such circumstances	ces circonstances
◆ téléphoner	tous les membres ont-ils **été téléphonés**? / were all members phoned up?	a-t-on téléphoné à tous les membres?, tous les membres ont-ils été appelés?
▼ témoin	**boîte aux témoins** / witness box	barre des témoins
◆ température	**c'est** 20 °C, en ce moment / it is 20° now	il fait
▼ temps	faire du **temps** supplémentaire / overtime	des heures supplémentaires
	accident entraînant **perte de** ___ / injury involving loss of time	accident entraînant absence du travail
	arriver **en avant de son** ___ / ahead of time	en avance, d'avance, avant l'heure prévue ou fixée
	carte de ___ / time card	fiche de présence
	___ **double, temps et demi** / double time, time and a half	tarif, (heures, salaire, taux) majoré de 100 p. 100, de 50 p. 100

265

	exemples de formes et d'emplois fautifs	formes correctes
▼ temps	être **avant son __** / ahead of one's time	innovateur, avant-gardiste, en avance sur son époque
	faire du __ à cause d'un vol / to serve time, to do time	faire de la prison
	feuille de __ / time sheet (contrôle des heures de présence au travail)	feuille de présence
	sur le __ de la compagnie / on the company's time (activité personnelle)	pendant les heures de travail, aux dépens de la compagnie
	travailler à **__ partiel** / to work part-time	à mi-temps
	venez **en aucun __** / at any time	n'importe quand, en tout temps
➤ tenderisé	viande **tenderisée** / tenderized	attendrie
➤ tenderloin	**tenderloin** (steak)	filet
▼ tenir	**tenez, gardez la ligne** / hold, keep the line (téléphone)	ne quittez pas, un instant s'il vous plaît
	__ les prix / to keep prices up	maintenir
▼ terme	durant le **terme** de la présente convention / term	durée, période de validité
	__ d'office / term of office (d'une conseillère, d'un maire)	durée des fonctions, période d'exercice, (durée) du mandat
	__ de référence / terms of reference (d'une commission)	attributions, mandat, compétence
	__ et conditions (contrat, accord, marché, opérations commerciales) / terms and conditions	conditions, dispositions, clauses, stipulations, modalités
	__ et conditions (émission de titres) / terms and conditions	modalités

	exemples de formes et d'emplois fautifs	formes correctes
▼ terme	__ **faciles** / easy terms (réclame)	facilités de paiement
	le pays connaît une chute **en** __ **de** création d'emplois / in terms of	en matière de, en ce qui concerne la, pour ce qui est de la, au chapitre de la
	le prochain __ de la cour civile / term	session
➤ terminal	**video display terminal** (informatique)	terminal à écran de visualisation
▼ tête	c'est un vrai **mal de tête** que de démêler ça / it's a headache	casse-tête, problème ardu
	__ **de violon** / fiddleheads	crosses de fougère
	le pays est quatrième au classement international du revenu **par** __ **de population** / per head of population	par habitant, par tête d'habitant
▼ thème	le **thème** musical d'une émission / theme	indicatif (musical)
➤ then	il vient me voir **now and then**	de temps en temps
● thermostat	**thermostat**	thermostat (le « t » final ne se prononce pas)
➤ thinking	faire du **wishful thinking**	prendre ses désirs pour des réalités
➤ thrill	ça donne un **thrill**	frisson, sensation spéciale
	on fait ça pour le __ de frôler le danger	plaisir
➤ thriller	**thriller** (roman, film, etc.)	d'aventures, policier, fantastique
➤ ticket	recevoir un **ticket** pour excès de vitesse	contravention
➤ tie	**tie** de voie ferrée	traverse
	__ (construction)	entretoise
	être __ (dans un match, un jeu)	à égalité, égaux
➤ time	**connect time** (informatique)	durée de liaison

	exemples de formes et d'emplois fautifs	formes correctes
➤ time	**down** ⎯ (informatique)	temps d'arrêt
	prime ⎯ (radiotélévision)	heures de pointe, de grande écoute
	⎯ **out!** (au jeu)	pause
➤ timer	**timer** / to time	chronométrer (compétition sportive, action, opération quelconque)
		faire coïncider (événements)
		minuter (cérémonie, spectacle, travail, emploi du temps)
		régler, ajuster, caler (allumage) (auto)
➤ timing	**timing**	calage (allumage) (auto)
		distribution (fluide moteur) (auto)
		moment propice, bon moment (pour faire une action)
		rythme (spectacle, émission)
➤ tinque	**tinque** d'eau chaude / tank	chauffe-eau
	⎯ **à eau** d'une municipalité / water tank	réservoir, château d'eau
	⎯ **à gaz** / gaz tank (auto)	réservoir à essence
➤ tip	**tip**	pourboire
➤ tipper	**tipper** / to tip	donner un pourboire
➤ tire	**tire**	pneu
▼ tirer	**tirer** l'agresseur / to shoot	abattre, atteindre, toucher
➤ toasté	sandwich **plain** ou **toasté**?	nature ou grillé?
➤ toaster	**toaster**	grille-pain

	exemples de formes et d'emplois fautifs	formes correctes
➤ token	**token**	jeton
▼ tomber	**tomber dû** / to fall due (billet)	échoir, arriver à échéance
	__ en amour / to fall in love	tomber amoureux, devenir amoureuse, s'éprendre de qqn
➤ tool	**software tool** (informatique)	outil logiciel, aide à la programmation
➤ top	**top**	capote (auto décapotable)
		dessus (caisse, boîte d'emballage)
		le maximum, le comble, le bouquet
		toit (auto)
	desk __ computer (informatique)	ordinateur de bureau
	__ priority (mention sur documents)	priorité absolue
	__ secret (mention sur documents)	ultrasecret, strictement confidentiel
➤ topper	**topper** un arbre / to top	étêter, écimer
▼ tordre	**tordre le bras** à qqn / to twist sb's arm	forcer la main de, insister outre mesure auprès de
▼ total	**grand total** (comptabilité)	total général, global, somme globale
▼ touage	**zone de touage** / tow zone	zone de remorquage, d'enlèvement des véhicules en infraction
➤ touch	**finishing touch** à un travail	dernière main
	__ screen, touch-sensitive screen (informatique)	écran tactile
➤ touch-tone	téléphone **Touch-Tone**	à clavier
➤ touer	**touer** un véhicule / to tow	remorquer

	exemples de formes et d'emplois fautifs	formes correctes
➤ tough	**tough**	difficile, pénible, dur (effort, hiver, travail)
		endurant, dur au mal (sportif)
		un dur à cuire, un dur
		dur, rebelle (objet)
		osée, corsée, épicée (blague, histoire)
		tenace, dur, coriace (homme, femme d'affaires)
➤ tougher	**tougher** (devant décision, difficulté, effort exigé) / to tough it out	persister, persévérer, tenir bon, endurer
➤ toune	**toune** entendue à la radio / tune	chanson, air
	c'est toujours la même — avec eux	même rengaine, chanson, refrain
	changer de —	de refrain, de disque
➤ tour opérateur	**tour opérateur** / tour operator (tourisme)	voyagiste
▼ tourner	la lumière a **tourné** jaune / the light turned yellow	le feu a passé au jaune, est devenu jaune
▼ tournoi	plusieurs championnats sportifs se disputent par **tournoi à la ronde** / round-robin (jeu)	poule
▼ tous	**tous et chacun** doivent participer / all and everyone	il faudrait que tout le monde participe

	exemples de formes et d'emplois fautifs	formes correctes
➤ towing	faire venir le **towing**	dépanneuse
➤ town	**town houses**	maisons en rangée
➤ toxedo	**toxedo** / tuxedo	smoking
▼ tracer	**tracer** un projet, un rapport / to trace	préparer, établir les grandes lignes de
➤ track	être à côté de la **track**	être dans l'erreur, dérailler, divaguer, déraisonner
	traverser la ⎯	voie ferrée
➤ trademark	l'excentricité est son **trademark**	marque de commerce
▲ traffic	**traffic**	trafic
▼ trafic	**trafic lourd** / heavy traffic	circulation dense, grosse circulation
➤ trail	**trail** de ski de fond, de motoneige	piste, sentier
	⎯ laissée par les roues d'une voiture	trace
➤ trailer	**trailer**	remorque, caravane
➤ training	**training**	entraînement (sport), formation (autres domaines)
▼ traite	c'est ma **traite** / this is my treat	c'est ma tournée, c'est moi qui paye, qui arrose
➤ transcoding	**transcoding, code conversion** (informatique)	transcodage, conversion de code
➤ transcript	**transcript**	transcription
▼ transférable	contrat d'assurance **non transférable** / nontransferable contract	incessible
▼ transférer	être **transféré** d'un service à un autre / to be transferred	muté, affecté
▼ transfert	**transfert** d'un service à un autre / transfer	mutation
	un ⎯ d'autobus	correspondance

	exemples de formes et d'emplois fautifs	formes correctes
■ transformeur	**transformeur** / transformer	transformateur (de courant électrique)
▼ transmission	ligne de **transmission** / transmission line (électricité)	ligne de transport (à partir des centrales électriques jusqu'aux postes de distribution), ligne à haute tension, ligne de distribution (vers les abonnés)
▼ travail	**travail à contrat** / contract work	travail à forfait, travail à l'entreprise
	hommes au __ / men at work (signalisation routière)	travaux en cours, attention : travaux
▼ travailler	le moteur **travaille** bien / the engine works well	fonctionne
	ça __ bien, cet outil-là	cet outil est très commode
	cette affaire a __ contre moi / has worked against me	joué contre moi, m'a nui
▼ travailleur	**travailleur du métal en feuilles** / sheet-metal worker	tôlier
➤ traveller	**traveller's cheque**	chèque de voyage
◆ travers	voyager **à travers** le Québec, **le monde** / around, across	partout au Québec, aux quatre coins du Québec, autour du monde
▼ travers	**parler à travers son chapeau** / to talk through one's hat	parler sans connaissance de cause, parler à tort et à travers
▼ traverse	**traverse** / crossing	passage à niveau, pour piétons, d'écoliers, d'enfants, d'animaux
➤ tray	**tray** pour verres, pour hors-d'œuvre	plateau
	__ à glace	moule à glaçons (réfrigérateur)

	exemples de formes et d'emplois fautifs	formes correctes
➤ trend	c'est un **trend**	idée nouvelle, tendance
▼ triage	**cour de triage** / marshalling yard	centre, gare de triage
▼ trimer	**trimer** (haie, arbre) / to trim	tailler, émonder
	__ (cheveux, barbe, ongles)	couper
◆ triompher	les Expos **ont triomphé** des Giants **10 à 7** (l'absence de mot-lien forme l'anglicisme) / overwhelmed the Giants 10 to 7	ont triomphé des Giants par la marque de 10 à 7
➤ trip	**road trip** (sport)	une série de matchs, de parties à l'étranger
➤ tripper	**tripper** / to trip	se passionner pour
▼ trivial	un fait **trivial**	banal, de peu d'importance, insignifiant (trivial : vulgaire, grossier)
➤ troller	**troller** / to troll	pêcher à la cuiller
▼ trou	être dans le **trou** / to be in a hole	embarras, pétrin
	sortir qqn du __ / to get sb out of a hole	de la dèche (financièrement)
▼ trouble	faire du **trouble**	des histoires, des difficultés
	c'est bien trop de __ de procéder ainsi	de travail, c'est trop long, trop compliqué
	cette affaire-là nous a causé bien du __	tracas, ennuis, embêtements
	__ d'auto	ennuis
▼ trouver	elle a été **trouvée coupable** d'homicide / has been found guilty	déclarée, reconnue coupable
➤ truck	**lift truck** (manutention)	chariot élévateur
➤ trucker	**trucker** / truck driver	camionneur, routier

	exemples de formes et d'emplois fautifs	formes correctes
➤ trust	un **trust**	société de gestion, de fiducie
	in ___ (finances)	fidéicommis
➤ trustable	**trustable**	digne de confiance, fiable
➤ truster	**truster** qqn / to trust sb	faire confiance à, se fier à
▼ tube	le **tube** d'un pneu	chambre à air
➤ tubeless	pneu **tubeless**	sans chambre à air, increvable
▼ tuile	il y a une **tuile** à remplacer sur le plancher de la cuisine / tile	carreau
➤ tune-up	**tune-up** du moteur (véhicule)	mise au point
➤ turnover	**turnover** (administration)	chiffre d'affaires, fonds de roulement, mobilité du personnel
➤ turnup	**turnup** de pantalon	revers
➤ tutorial	**tutorial** (informatique)	tutoriel, tuteur
➤ tuxedo	**tuxedo**	smoking
● T.V.	T.V.	télévision, télé, téléviseur, appareil de télévision
➤ twist	avoir la **twist**	façon de s'y prendre, truc, tour de main
➤ twister	**twister** / to twist	tordre, tortiller, entortiller
➤ two-sided	**two-sided diskette, double-sided diskette** (informatique)	disquette à double face

	exemples de formes et d'emplois fautifs	formes correctes
➤ typer	**typer** / to type	dactylographier, taper
➤ typewriter	**typewriter**	machine à écrire
➤ typist	**typist**	dactylo (personne qui tape à la machine à écrire ou à l'ordinateur)

	exemples de formes et d'emplois fautifs	formes correctes
▼ U	**pas de virage en U** / No U-turn	demi-tour interdit
➤ ultra	**ultra vires**	au-delà des pouvoirs dévolus, antistatutaire
▼ un	la Fondation versera **un autre** 10 000 $ à l'Université / another	10 000 $ supplémentaires, ajoutera une somme de 10 000 $
	moi pour __ / I for one	quant à moi, pour ma part, à mon avis, personnellement
◆ un	un demi **de un** pour cent (« de un » forme l'anglicisme) / one half of 1 %	un demi pour cent
	sa sœur est __ ingénieure / his sister is an engineer	sa sœur est ingénieure
	notre attitude **en est __ de** collaboration / is one of	est celle de la, est basée sur la, nous cherchons à collaborer : voilà notre attitude
➤ underpass	**underpass**	passage souterrain
➤ union	**union**	syndicat
➤ unit	**control unit** (informatique)	unité de commande
	disk __ (informatique)	unité de disques
▼ unité	à l'hôpital, on ferme des **unités** entières / units	services
	motel, hôtel de 200 __	chambres

	exemples de formes et d'emplois fautifs	formes correctes
▼ unité	on prévoit construire 5 000 __ de logement / units, dwelling units	appartements, logements, maisons
➤ up	être **up to date** (personne)	à la page, à la dernière mode
	être __ **to date** (dossiers, documents)	à jour
➤ updating	**updating** (informatique)	mise à jour
▼ urgence	**sortie d'urgence** / emergency exit, door	issue de secours (autobus, métro), sortie de secours (immeubles)
➤ U.S.	1 000 dollars **U.S.** / U.S. dollars	dollars américains
➤ U.S.A.	**U.S.A.**	É.-U.
➤ user	**end user** (informatique)	utilisateur final
	__ **friendliness** (informatique)	convivialité, facilité d'utilisation
	__ **interface** (informatique)	interface d'utilisateur
	__ **profile** (informatique)	profil d'utilisateur
➤ utility	**utility program** (informatique)	programme utilitaire, de service
➤ u-turn	faire un **u-turn**	faire demi-tour

	exemples de formes et d'emplois fautifs	formes correctes
■ vacance	je prends une **vacance** / a vacation	des vacances, un congé
➤ vacancy	**no vacancy** (affiche de motel, d'hôtel)	complet
➤ vacuum	**vacuum**	aspirateur
	la démission du premier ministre a créé un __	vide (vacuum : terme technique et scientifique seulement)
	__ **packing**	emballage sous vide
➤ valance	une **valance** dans une fenêtre	cantonnière
▼ valeur	**valeur au comptant** / cash surrender value (d'une police d'assurance)	valeur de rachat
▼ valoir	**valoir** cinq millions / to be worth five millions	posséder
➤ van	**van** (véhicule)	semi-remorque, fourgonnette
➤ vanité	une **vanité** / vanity	coiffeuse, coiffeuse-lavabo
▼ véhicule-moteur	**véhicule-moteur** / motor vehicle	vehicule automobile
➤ veneer	du **veneer** employé dans la construction	placage, contreplaqué
▼ venir	le compte-gouttes **vient** avec la bouteille / to come	est offert, se vend, est présenté
▼ vente	**vente d'écoulement** / clearance sale	liquidation
	__ **de garage** / garage sale	vente-débarras, vente de bric-à-brac
	__ **finale** / final sale	vente ferme

	exemples de formes et d'emplois fautifs	formes correctes
▼ vente	__ **semi-annuelle** / semi-annual sale	solde semestriel
	représentant des __ / sales representative	représentant (commercial)
➤ venture	**joint venture** (administration)	coentreprise, entreprise conjointe, commune, en copropriété, en coparticipation
▼ versatile	c'est un artiste **versatile** / versatile artist	aux talents variés, multiples (versatile : qui change facilement d'opinion, d'idée, de parti)
	appareil __ / versatile apparatus	universel, tout usage, polyvalent
	une employée __ / versatile employee	polyvalente
➤ versus	Lavoie **versus** Fortin	contre (sport), c. (langue juridique)
▼ veste	porter une **veste** sous son veston / vest	gilet
➤ v.g.	**v.g.** (verbi gratia)	p. ex. (par exemple)
➤ via	une lettre expédiée **via** messagerie	par (via ne s'applique qu'aux lieux)
	le gouvernement perçoit des impôts __ les retenues à la sources	par
▼ vicieux	avoir un geste **vicieux** / vicious gesture (sport)	brutal, violent
	attention, le chien est __!	méchant
➤ video	**video display terminal** (informatique)	terminal à écran de visualisation
➤ vidéotape	**vidéotape** / videotape	bande vidéo, magnétoscopique
▼ vie	une pension **pour la vie**, être condamné **pour la** __ / for life	à vie
▼ ville	**conseil de ville** / city council	conseil municipal
▼ vin	**liste des vins** / wine list (restauration)	carte des vins

	exemples de formes et d'emplois fautifs	formes correctes
▼ vingt-quatre	**ouvert 24 heures, 24 heures par jour /** 24-hr service	ouvert jour et nuit, jour et nuit (les deux expressions conviennent aux textes imprimés), 24 heures sur 24 (langue familière)
▼ violon	jouer **les seconds violons** (auprès de qqn) / to play second fiddle (to sb)	un rôle secondaire, de second plan
	têtes de ___ / fiddleheads	crosses de fougère
▼ virage	**pas de virage en U** / No U-turn	demi-tour interdit
➤ vires	**ultra vires**	au-delà des pouvoirs dévolus
◆ virgule	vendredi**, le** 31 décembre 1999 / Friday, the 31st of December	le vendredi 31 décembre 1999 (sans virgule)
▲ virgule	**100,000 $** / $100,000 **2,000.95 $** / $2,000.95 **0.75 $** / $0.75 **8.15** / 8.15 (ponctuation décimale)	100 000 $ (ni virgule, ni point) 2 000,95 $ (virgule) 0,75 $ (virgule) 8,15 (virgule)
	1,234,567 (ponctuation dans les nombres entiers)	1 234 567 (sans virgule)
	408 rue Leblanc (l'absence de ponctuation forme l'anglicisme) / 408 Leblanc St.	408, rue Leblanc (virgule)
	Monsieur Joseph Fox, Les Produits Excellence ltée, 112 rue Star, St-Félix. / Mr. J. Fox, Excellence Products Ltd., 112 Star Street, St. Felix. (ponctuation dans la suscription d'une lettre)	Monsieur Joseph Fox Les Produits Excellence ltée 112, rue Star Saint-Félix (une virgule entre le numéro et le nom de la rue est la seule ponctuation requise)
▼ virtuel	il est le chef **virtuel** / virtual	vrai chef (virtuel : probable, en puissance)

	exemples de formes et d'emplois fautifs	formes correctes
▼ visite	le receveur **paie une visite** au lanceur / pays a visit (baseball)	va parler, va voir, va s'entretenir
◆ visiter	**visiter** des amis / to visit friends	rendre visite à, aller voir (on visite un endroit, non une personne)
▼ visiter	le Canadien **visite** les Black Hawks à Chicago / is visiting	rencontre, affronte
▼ vivre	le choix est fait, il faut **vivre avec** / we have to live with it	s'en accomoder, se faire à cette idée, accepter cette situation
▼ voie	**voie de service** / service road	voie de desserte
	paver la ___ aux discussions, aux négociations / to pave the way to	préparer, ouvrir la voie à
▼ voir	**voir** à l'aménagement des lieux / to see to	s'occupe de
	c'est le service des achats qui ___ à l'approvisionnement / that sees to	est chargé
	il faut **attendre et ___** / wait and see	voir venir
▼ volatil	la situation politique est très **volatile** dans ce pays / volatile political situation	très instable, explosive
● volt	**volt**	volt (ne se prononce pas « vôlt » mais « volt » comme dans « révolte »)
◆ volume	**volume accru** du courrier / increased volume	accroissement
▼ votante	une **action votante** ou **non ___** / voting share or non-voting share (finance)	avec droit de vote, sans droit de vote
▼ vote	**mettre au vote** une question, une proposition / to put to the vote	mettre aux voix
	___ ouvert / open vote	scrutin découvert
	prendre le ___ (de grève) / to take the vote	procéder au scrutin, au vote (de grève), passer au vote (de grève), voter (la grève), faire voter (la grève)

	exemples de formes et d'emplois fautifs	formes correctes
▼ vote	voici la répartition du __ **populaire** / popular vote	vote en pourcentages
■ voteur	**voteur** / voter	électeur
▼ vôtre	**Bien vôtre, Bien à vous, Sincèrement vôtre** / Truly yours, Sincerely yours (avant la signature dans une lettre)	Nous vous prions d'agréer, Madame, Monsieur, l'expression de nos sentiments distingués, ou encore : Je vous prie d'agréer, Madame, Monsieur, l'assurance de mes sentiments les meilleurs
	__ **pour** 20 $ / yours for $20	prix : 20 $
➤ voucher	présentez votre **voucher** au comptoir / voucher	bon
▼ vous	**Bien vôtre, Bien à vous, Sincèrement vôtre** / Truly yours, Sincerely yours (avant la signature dans une lettre)	Nous vous prions d'agréer, Madame, Monsieur, l'expression de nos sentiments distingués, ou encore : Je vous prie d'agréer, Madame, Monsieur, l'assurance de mes sentiments les meilleurs
▼ voûte	**voûte** / vault	caveau (cimetière)
		chambre forte (banque, maison d'affaires)
		garde-fourrure
▼ voyage	**dépenses de voyage** / travelling expenses	frais de déplacement
▼ voyageur	chèque de **voyageur** / traveller's cheque	chèque de voyage
▼ vraie	**vraie copie** / true copy	copie conforme
➤ vs	Lavoie **vs** Fortin (abréviation de versus)	contre (sport), c. (langue juridique)

	exemples de formes et d'emplois fautifs	formes correctes
➤ wait	**wait and see**	voir venir
➤ waiter	**waiter**	garçon, serveur (de table), garçon! (quand on l'appelle)
➤ waitress	**waitress**	serveuse, fille de salle, madame! (quand on l'appelle)
➤ walkie-talkie	**walkie-talkie**	émetteur-récepteur portatif
➤ walkman	**walkman** (marque déposée)	baladeur
➤ warm	**warm start, ___ restart** (informatique)	démarrage à chaud, redémarrage à chaud
➤ warm-up	faire du **warm-up** avant l'exercice	échauffement
	un ___ / warm-up suit	surpantalon
➤ wash-and-wear	vêtement **wash-and-wear**	infroissable, sans repassage, lavez-portez
➤ washer	**washer** (boulon, écrou)	rondelle
➤ watcher	**watcher** qqn / to watch sb	surveiller, guetter, observer, épier
	se ___ / to watch one step	faire attention, prendre garde, se surveiller, être sur ses gardes
➤ waterproof	**waterproof**	imperméable, à l'épreuve de l'eau

	exemples de formes et d'emplois fautifs	formes correctes
➤ waterproof	—	étanche (montre)
		hydrofuge (peinture)
➤ white	**off white**	blanc cassé
➤ winch	**winch**	treuil (grue ou autre appareil de levage)
➤ windbreaker	**windbreaker**	coupe-vent
➤ windshield	**windshield** (auto)	pare-brise
➤ wiper	**wiper**	essuie-glace
➤ wire	**wire** (en général)	fil de fer, câble d'acier
	— de commande, d'un appareil, d'une installation électrique	câble
	— faisant partie du moteur d'une machine	fil électrique, fil
➤ wise	**wise**	habile, malin, futé
➤ wishful	faire du **wishful thinking**	prendre ses désirs pour des réalités
➤ woman	**morning woman, morning man** (radiotélévision)	animatrice matinale, animateur matinal
	self-made —, self-made man	autodidacte
➤ word	**word processing** (informatique)	traitement de texte
➤ workout	faire du **workout** : exercices et musique	une séance d'entraînement
➤ workstation	**workstation, work station** (informatique)	poste de travail
➤ wrench	**wrench**	clé anglaise, clé à écrous, clé

X–Y–Z

	exemples de formes et d'emplois fautifs	formes correctes
➤ zapping	qui ne fait pas de **zapping** avec sa télécommande?	du saute-bouton, du saut
➤ zipper	le **zipper** est cassé	fermeture éclair, fermeture à glissière
	__ sa robe / to zip	remonter la fermeture éclair, la glissière
▼ zone	**zone de touage** / tow zone	zone de remorquage, d'enlèvement des véhicules en infraction
● zoo	**zoo**	zoo (ne se prononce pas « zou » mais « zo »)

Bibliographie

Bélanger, Francine; Duplain, Jacques. *Vocabulaire de la bureautique*. Québec, Office de la langue française, 1992, 89 p.

Bélanger, Francine. *Vocabulaire du traitement de texte*. Québec, Office de la langue française, 1992, 76 p.

Bélisle, J.-A. *Dictionnaire nord-américain de la langue française*. Montréal, Beauchemin, 1979, 1 196 p.

Belle-Isle, J. Gérald. *Dictionnaire technique général*. Montréal, Beauchemin, 1977, 555 p.

Buendia, Laurent. *Lexique informatique*. Ottawa, Bureau de la traduction, 1990, 78 p.

Cajolet-Laganière, Hélène. *Le français au bureau*. 3ᵉ éd., Québec, Office de la langue française, 1988, 268 p.

The Canadian Style Manual : A Guide to Writing and Editing. Toronto, Dundern Press; Ottawa, Secrétariat d'État du Canada, 1985, 256 p.

Clas, André; Seutin, Émile. *Recueil de difficultés du français commercial*. Montréal, McGraw-Hill, 1980, 119 p.

Code typographique : choix de règles à l'usage des auteurs et des profession-nels du livre. 12ᵉ éd., Paris, Syndicat national des cadres et maîtrises du livre, de la presse et des industries graphiques, 1978, 121 p.

Colpron, Gilles. *Dictionnaire des anglicismes*. Montréal, Beauchemin, 1982, 199 p.

Colpron, Gilles. *Les anglicismes au Québec : répertoire classifié*. Montréal, Beauchemin, 1970, 247 p.

Comité consultatif de la normalisation et de la qualité du français à l'Université Laval. *Les maux des mots : recueil récapitulatif des articles parus dans le bulletin du Comité de 1968 à 1982*. Québec, Université Laval, 1982, 154 p.

Dagenais, Gérard. *Dictionnaire des difficultés de la langue française au Canada*. 2ᵉ éd., Boucherville, Éditions françaises, 1990, 538 p.

Deak, Étienne; Deak, Simone. *Grand dictionnaire d'américanismes*. Paris, Presses Sélect, 1977, 824 p.

Deschênes, Gaston. *L'ABC du Parlement : lexique des termes parlementaires en usage au Québec*. Québec, Assemblée nationale, 1992, 100 p.

Dictionnaire des idées par les mots. Paris, Le Robert, 1979, 609 p.

Dictionnaire des synonymes. Paris, Le Robert, 1989, 738 p.

Dionne, Pierrette. *Guide pour la rédaction et la révision des rapports annuels et administratifs.* Québec, Ministère des communications, Bibliothèque administrative, 1990, 40 p.

Dubuc, Robert. *Objectif : 200, deux cents fautes à corriger.* Montréal, Éditions Radio-Canada et Leméac, 1971, 133 p.

Dubuc, Robert; Boulanger, Jean-Claude. *Régionalismes québécois usuels.* Paris, Conseil international de la langue française, 1983, 227 p.

Dubuc, Robert. *Vocabulaire bilingue de la production télévision : anglais-français, français-anglais.* Montréal, Leméac, 1982, 402 p.

Gémar, Jean-Claude; Ho-Thuy, Vo. *Difficultés du langage du droit au Canada.* Cowansville, Éditions Yvon Blais, 1990, 205 p.

Guide du rédacteur de l'administration fédérale. Ottawa, Bureau des traductions, 1983, 218 p.

Hanse, Joseph. *Nouveau dictionnaire des difficultés du français moderne.* 2e éd., Paris, Duculot, 1991, 1 031 p.

Harrap's Shorter French and English Dictionary. London, Harrap, 1982, 983 p., 798 p.

Horguelin, Paul A.; Clas, André. *Le français, langue des affaires.* 3e éd., Montréal, McGraw-Hill, 1991, 422 p.

Laurence, Jean-Marie. *Vagabondage linguistique.* Montréal, Guérin, 1980, 171 p.

Laurin, Jacques. *Notre français et ses pièges.* Montréal, Éditions de l'Homme, 1978, 217 p.

Lexique. Journal des débats. 9e éd., Québec, Assemblée nationale, 1981, 184 p.

Merriam-Webster's Collegiate Dictionary. 10e éd., Springfield, Mass., Merriam-Webster, 1993, 1 557 p.

Nouveau dictionnaire analogique. Paris, Larousse, 1991, 856 p.

Le Nouveau Petit Robert : dictionnaire alphabétique et analogique de la langue française. Paris, Le Robert, 1993, 2 467 p.

Le Petit Larousse illustré : dictionnaire encyclopédique. Paris, Larousse, 1993, 1 720 p.

Pollak, L. *La traduction sans peur et sans reproche.* Montréal, Guérin, 1989, 186 p.

Pour bien se comprendre : chroniques d'Hydro-Presse, 1975-1987. Montréal, Hydro-Québec, 1988, 330 p.

Pour un genre à part entière : guide pour la révision de textes non sexistes. Québec, Ministère des communications, Bibliothèque administrative, 1988, 36 p.

Que dire? Montréal, Société Radio-Canada, Service de linguistique, 1985-1992, 8 v.

Rey-Debove, Josette; Gagnon, Gilberte. *Dictionnaire des anglicismes : les mots anglais et américains en français.* Paris, Le Robert, 1990, 1 150 p.

Robert-Collins / dictionnaire français-anglais, anglais-français. Paris, Le Robert, 1987, 929 p.

Sauvage, Claude. *Le français au fil du temps et des mots.* Montréal, Éditions Études Vivantes, 1990, 364 p.

Sauvé, Madeleine. *Observations grammaticales et terminologiques.* Montréal, Université de Montréal, 1972-1985, 14 v.

Schwab, Wallace. *Les anglicismes dans le droit positif québécois.* Québec, Conseil de la langue française, 1984, 160 p.

Sylvain, Fernand. *Dictionnaire de la comptabilité et des disciplines connexes.* 2ᵉ éd., Toronto, Institut canadien des comptables agréés, 1982, 662 p.

Van Roey, Jacques *et al. Dictionnaire des faux amis, français-anglais.* Paris, Duculot, 1988, 792 p.

Villers, Marie-Éva de. *Multidictionnaire des difficultés de la langue française.* 2ᵉ éd., Montréal, Québec/Amérique, 1992, 1 325 p.

Villers, Marie-Éva de. *Vocabulaire du micro-ordinateur.* Québec, Office de la langue française, 1986, 66 p.

Vinay, Jean-Paul; Daviault, Pierre; Alexander, Henry. *The Canadian Dictionary.* Toronto, McClelland and Stewart, 1962, 862 p.